Carnets de fuite

ELIANE GAGNON

Carnets de fuite

Libre Expression

Catalogage avant publication de Bibliothèque et Archives nationales du Québec et Bibliothèque et Archives Canada

Gagnon, Eliane, auteur
Carnets de fuite / Eliane Gagnon.
ISBN 978-2-7648-1316-4
1. Gagnon, Eliane. 2. Actrices - Québec (Province) - Biographies. I. Titre.

PN2308.G34A3 2019 792.02'8092 C2018-942877-5

Édition : Nadine Lauzon
Révision et correction : Céline Bouchard et Julie Lalancette
Couverture et mise en pages : Axel Pérez de León
Photo de l'auteure : Julien Faugère

Remerciements
Nous remercions la Société de développement des entreprises culturelles du Québec (SODEC) du soutien accordé à notre programme de publication.
Gouvernement du Québec – Programme de crédit d'impôt pour l'édition de livres – gestion SODEC.

Financé par le gouvernement du Canada | Canada

Les Éditions Libre Expression
Groupe Librex inc.
Une société de Québecor Média
4545, rue Frontenac, 3e étage
Montréal (Québec) H2H 2R7
Tél. : 514 849-5259
www.edlibreexpression.com

Dépôt légal – Bibliothèque et Archives nationales du Québec et Bibliothèque et Archives Canada, 2019

ISBN : 978-2-7648-1316-4

Distribution au Canada
Messageries ADP inc.
2315, rue de la Province
Longueuil (Québec) J4G 1G4
Tél. : 450 640-1234
Sans frais : 1 800 771-3022
www.messageries-adp.com

Diffusion hors Canada
Interforum
Immeuble Paryseine
3, allée de la Seine
F-94854 Ivry-sur-Seine Cedex
Tél. : 33 (0)1 49 59 10 10
www.interforum.fr

Sommaire

Jusqu'à la prochaine page blanche...
Celle que tu auras choisi d'écrire.
Celle que tu n'auras pas peur de lire.
Celle qui saura te guérir.
Je te la souhaite, cette page.
Parce que chaque mot qu'on prononce
est une énergie dans ce monde,
chaque mot qu'on écrit
nous rapproche de nos rêves...

Eliane xx

Le départ

« *The thing you are most afraid to write, write that.*
Advice to young writers. »

Nayyirah Waheed

C'est un voyage, un tumultueux périple. Le mien. Peut-être que vous vous y reconnaîtrez. Ces carnets sont des ramassis de poésie, de souvenirs, d'histoires de personnages de nombreuses périodes de ma vie. C'est plus de dix ans à recueillir en mots mes angoisses, mes doutes, mes peurs, mes peines, mes joies, mes moments d'euphorie et de foi sans borne grâce à un itinéraire singulier, celui qui m'était destiné. Dieu sait que mes souliers ont beaucoup voyagé pour ne pas me sentir, pour fuir ma réalité, ma vérité. Et à bien y penser, ça doit être ça, le point de départ : la fuite. Ma fuite. Quel mot puissant !

Ces carnets, ce sont les rêves… Ceux qui nous habitent. Ceux qui sont pénibles à faire taire. Ils crient fort et ils n'arrêtent jamais. Je suis une grande rêveuse, une infatigable rêveuse. J'ai rêvé de ce moment, d'écrire ce livre, depuis que j'ai l'âge de huit ans. Ce désir, toujours aussi bien ancré en moi, ne me laisse aucun autre choix : foncer et mettre mon univers sur papier sans m'arrêter malgré l'angoisse qui me tiraille à l'idée de me dévoiler. Comme si je m'apprêtais à sauter en chute libre. Ce n'est pas une biographie, mais ça demeure terrifiant d'exposer le récit de ma route. Elle est sinueuse et demande à être lue ou absorbée avec la partie la plus douce de son cœur.

Quand j'ai découvert l'écriture, j'ai compris qu'il y avait un remède au trou indéfinissable, à l'immense sentiment de vide que je ressentais en permanence au fond de mon âme. Je pouvais désormais le décrire en mots pour soulager mes maux et peut-être même m'expliquer l'origine de cette souffrance. Depuis, j'ai compris que ma vie ne serait plus jamais la même. J'ai su que je pourrais vivre. Et mes carnets, que je relis pour le bien de ce livre, remuent des bribes de mon passé, de mon imaginaire, de ma vision confuse d'antan. Et je remets de l'ordre là-dedans pour mieux évoluer.

Je me suis évadée de façons inimaginables. J'ai cherché l'inspiration. Les idées. Lorsqu'elles se sont présentées, je me suis demandé si elles allaient rester ou me quitter. C'est un mystère.

Carnets de fuite, ce sont les péripéties de mes *alter ego*. D'un côté, celle qui veut anéantir toutes les joies que je peux vivre, Lili-Destroy, et de l'autre, celle qui cherche l'amour au quotidien, Lili-Love. Elles sont ma part d'ombre et ma part de lumière. Je peux les aimer, ne pas les juger, leur pardonner et, surtout, les mettre en scène dans un récit, un brin inventé, ou dans les bouts de mon existence dont je me souviens, ceux qui n'ont pas été perdus dans mes nombreux *blackouts*. C'est ça, la beauté d'être une assembleuse des mots.

Les idées se bousculent dans ma tête. La vérité, c'est que j'ai peur. Cette peur, c'est quoi ? Pourquoi m'envahit-elle ? Est-ce que c'est la peur du jugement ? La peur de l'échec ? La peur de réussir ? La peur d'exister, simplement ? Trop de questions. C'est bizarre, ce *feeling*. Est-ce que je peux vivre, sans trop faire de vagues, mais en même temps en faire suffisamment pour faire bouger les choses ?

On dit que ce n'est pas la destination qui compte, mais plutôt le chemin pour se rendre au fil d'arrivée. Est-ce qu'elle existe vraiment, cette ligne ? Et qui la définit ?

Je ne sais pas. Peut-être que oui. Peut-être que non. Mais qu'elle soit réelle ou fictive, ça ne veut pas dire que c'est une fin en soi. Et si on a le choix de la finale, j'espère que vous allez vous y rendre sans trop d'égratignures.

J'essaie de me convaincre que ce sont simplement des mots. Du papier. Une page blanche. Le départ. Ça ne devrait pas être si effrayant. Mais au fond, la beauté de la vie, ou le problème qu'on rencontre tous, c'est de ne pas savoir quand ça commence ni quand ça se termine. Et notre temps est compté.

Dans le doute, je me demande: « Pourquoi écrire tant de mots sans savoir ce que ça va donner? Sans même comprendre pourquoi je le fais? » J'oublie le plus important: ça me garde en vie.

Ma vision, c'est que le monde entier puisse créer, que les gens se donnent la liberté de mettre des mots sur leurs maux et que la vie soit un gigantesque terrain de jeu. L'imaginaire devient le personnage principal qui joue au ballon avec les mots les plus magiques, qui permettent de raconter les plus belles histoires. Ça doit ressembler à ça, une utopie. Du moins, c'est la mienne.

Et moi, je veux juste écrire. Je vous en prie, permettez-moi de le faire.

Au sud

> « S'aimer soi-même est le début d'une histoire d'amour qui durera toute une vie. »
>
> Oscar Wilde

C'est un bébé de printemps, cette Lili-Love. Un petit miracle dans la vie d'une maman plus que monoparentale qui n'a aucune idée de quand elle l'a conçue.

Encore plus fou que de ne pas savoir, elle prend la pilule contraceptive au moment où elle comprend que la magie a opéré et qu'une petite fleur a décidé de se tailler une place importante dans le jardin de son cœur. C'est une femme courageuse qui choisit de faire un pied de nez à la société, quelque part dans les années 1980, en mettant un enfant au monde seule. Non, ce n'est pas l'opération du Saint-Esprit, mais presque.

Cette maman s'appelle Merveille. Rien de moins pour une guerrière comme elle. La force d'un désir est grande ; elle avait beau essayer de mettre une croix sur le projet d'enfanter, la vie a trouvé le tour, au bon moment, de lui procurer la semence du plus bel inconnu en ville. Un beau ténébreux, choisi au hasard de la rencontre de phéromones puissantes, à la dernière minute possible pour une femme déjà avancée en âge.

Le papa, lui, même s'il est décrit ici avec quelques adjectifs sympathiques, n'est pas déclaré. Ni sur le certificat de naissance ni nulle part. Aucune trace de lui. Il se résume à un simple spermatozoïde de qualité sur deux pattes.

Cette indispensable semence prend le bon chemin au moment idéal pour que maman Merveille puisse vivre la plus belle expérience humaine, celle d'être la mère de cette puce, celle dont elle avait besoin pour survivre dans ce monde parfois trop cruel pour elle.

***

Tous les printemps, c'est la même histoire. Lili-Love veut connaître ses origines, au-delà de la *ride* du spermatozoïde qui a rencontré l'ovule. Elle sait très bien qu'elle est sortie du ventre de sa mère, elle n'est pas nounoune ! Mais elle se demande, depuis le jour où sa conscience s'est éveillée, pas seulement il est où son père, mais qui il est et à quoi ressemble cet homme mystérieux qu'elle ne cesse de se représenter comme un prince, comme le roi de son royaume enchanté. Elle se fait le portrait d'une personne aimante, humble et attentionnée. Elle s'imagine une divinité. Rien de moins pour Lili-Love, Dieu est son père.

Comme tous les soirs, Lili-Love, six ans et demi, et sa très chère mère, maman Merveille, prennent le bain ensemble et Lili-Love questionne son passé.

— « Ma mère chantait toujours, la la la... Une vieille chanson d'amour, que je te chante à mon tour... Ma fille, tu grandiras, et puis tu t'en iras*... »

— Maman, arrête de chanter, là ! C'est qui, mon père ? Tu as dit que tu me le dirais.

— Lili, je le sais pas... Il est parti quand tu étais dans mon ventre.

— Mais comment il s'appelle ? Il a un nom mon papa ?

— Lili, maman est fatiguée, je vais te l'dire quand tu seras une grande fille. Pas avant.

— Mais je suis une grande fille ! Je veux savoir, maman ! Dis-moi c'est qui mon père !

Maman Merveille est découragée, au bout du rouleau et très loin de se sentir merveille. Un sentiment de culpabilité l'habite au point où tout ce qu'elle trouve à faire, encore et toujours, c'est continuer de mentir.

---

* *Ma mère chantait*, paroles de Luc Plamondon, 1980.

Lili-Love est obsédée. Elle veut connaître la vérité. La sienne. Comment se fait-il que tous les enfants de sa classe de première année ont un papa alors qu'elle, elle a juste une maman qui joue tous les rôles ? Elle se pose beaucoup de questions. Déjà, même si elle n'a aucune idée de ce qu'est un mouton noir, elle se voit ainsi. Elle se sent différente.

La colère de ne pas être comme les autres et la honte d'être qui elle est forgent tranquillement son identité. Son plus grand handicap, c'est d'être incapable de nommer ce qui l'habite. Même si elle semble extravertie, accueillir et comprendre ses émotions et ses tourments sont son pire cauchemar. Elle n'a pas les outils pour communiquer. Tout lui reste pris dans le fond de la gorge, à tel point qu'elle s'étouffe avec ses sentiments refoulés et que son mini *alter ego*, son ennemi numéro un, celui qui souffre, qui a peur de tout et qui combat, se fraye un chemin au cœur de son cœur pour y laisser une boule noire qui grandit à la vitesse de l'éclair : Lili-Destroy.

***

Lili-Destroy est la *top* rebelle de l'univers qu'elle s'est créé : un monde où ça sent le fond de tonne, la vieille clope et où il fait toujours noir. Pour tous les mensonges et demi-vérités que maman Merveille lui raconte, Lili-Dee, de son petit nom, se convainc qu'elle a droit à sa vengeance : faire disparaître les cigarettes de ses paquets au compte-gouttes. C'est à coup de deux ou trois Export "A" volées du paquet vert qu'à huit ans et demi Lili-Destroy est marquée au fer rouge par les démons de la dépendance. Une personnalité d'*addict* se forge, et le mensonge fait désormais partie de son quotidien. Telle une *crackhead*, l'intensité de Lili-Destroy devient un trait de caractère prédominant. Elle en veut toujours plus, elle ne peut jamais s'arrêter. Et ça commence par vouloir plus de *love* en « bâtonnets de cancer ». La *smoke*, comme elle l'appelle affectueusement, devient sa meilleure amie et, avec celle-ci, elle essaie de fuir ce drôle de monde, persuadée que fumer en cachette, c'est le remède parfait pour passer au travers des épreuves de la vie, pour faire disparaître la boule.

Mais au fond, la boule noire dans son cœur ne fait que grossir avec chaque cigarette inhalée. Et Lili-Destroy devient une adulte, trop vite, trop tôt. Elle goûte ensuite au hasch, au *pot*, elle tombe en amour avec le *buzz* de son joint. Être gelée et ne rien sentir devient son état préféré parce que le vide est rempli. Elle apprend c'est quoi le *party* et, très jeune, elle comprend qu'elle peut contourner les règles plus facilement lorsque sa mère a un verre dans le nez, tout en s'imaginant que c'est ça, la liberté. Elle s'aperçoit aussi que les grands changent lorsqu'ils boivent. Ils deviennent plus comiques ou plus violents, ça dépend des soirs. Lili-Destroy n'a pas reçu de coups, du moins pas physiquement, mais elle a voulu en donner, beaucoup. Souvent. Comme un mécanisme de défense. La rage en dedans grandit à force d'être témoin d'injustices et de violence dans le bloc d'appartements modestes du nord de la ville de Montréal où elle vit depuis sa naissance. Et à 4 pieds et 2 pouces, 70 livres toute mouillée, elle réussit surtout avec les mots à se défendre de quiconque pourrait tenter de la contrôler. Dans ses tactiques, il y a aussi la crise de nerfs qui récolte de bons résultats pour défier l'autorité sous toutes ses formes et qui devient l'ennemi à abattre. Lili-Destroy, c'est la *boss*. Un point c'est tout.

Comme un oiseau de nuit, elle veille tard parce qu'elle ne veut rien manquer du *party*, et pour s'assurer que maman Merveille est en sécurité, elle fait dodo avec elle, en cuillère, jusqu'au début de l'adolescence. Chaque matin, le réveil est pénible pour aller à l'école. Elle aime étudier, mais ses dodos aux petites heures et ses pipis au lit l'empêchent d'avoir un sommeil réparateur. Lili-Destroy se trouve donc des excuses pour *foxer* ses cours et aller au bureau de sa mère à la place. C'est un peu grâce à l'école buissonnière et toutes les permissions insensées de maman Merveille que Lili-Destroy se met à taper à la dactylo et à s'imaginer une vie d'auteure un peu torturée sur les bords. Déjà, son fantasme est d'écrire avec un verre et un joint à la main, en quête d'aventures, d'inspiration et de douleurs indescriptibles à transposer, à mettre en scène. Des rêves fous commencent à naître en elle. Elle se voit devenir une grande actrice, avoir un succès international pour enfin être reconnue... par son père non déclaré. S'ils pouvaient enfin se retrouver, la vie serait sûrement plus facile, qu'elle se dit.

Et puis juste comme ça, les joints, les pilules, l'acide, toutes les drogues qu'elle essaie pour faire partie de la *gang*, pour devenir « la fille la plus *cool* », et l'alcool qui coule à flots pour dissiper la gêne et le dégoût de son petit corps frêle s'immiscent sournoisement dans sa vie, lui faisant croire qu'elle diffère des autres filles de son âge et qu'elle a besoin de ces « cocktails » anesthésiants pour se fondre dans la masse. À dix-sept ans, avec l'air d'en avoir douze, elle manque de confiance en elle sous ses allures de *tomboy* qui a vu neiger. Alors elle se rabat sur l'alcool, qui abîme son âme à la vitesse grand V en la jetant dans la gueule du loup, des loups : la gent masculine. Et sans trop s'en apercevoir, Lili-Destroy laisse la dépendance s'infiltrer, prendre toute la place en elle et, ainsi, atténuer ses peurs. Elle est terrifiée par les hommes, mais le défi de les séduire devient vite son objectif, un *thrill* important qui la fait se sentir en vie. L'aventure, t'sais. Et là, c'est le début des vrais tourments, de la quête d'amour qui ne finit plus de finir, qui fait mal parce que le regard de quelqu'un, ça n'a jamais guéri personne. Pas même le regard de son père. Mais ça, elle est encore bien loin de le savoir.

SAGESSE D'UNE FILLE PERDUE

Pas de père vs la quête éternelle du prince

Le désir de vivre dans un conte de fées est bien réel. Autant pour les garçons que pour les filles. Comme si on avait été programmés ainsi. Et c'est indéniable, la présence d'un père, c'est primordial pour le développement adéquat d'un enfant. Les blessures d'abandon et les carences affectives se manifestent souvent quand l'un des deux parents manque à ses devoirs, phénomène extrêmement courant dans notre société. Mais soyons réalistes, on ne peut pas toujours avoir ce que l'on veut. Plus souvent qu'autrement, on se retrouve avec ce dont on a besoin, mais comme ce n'est pas ce qu'on veut, on croit qu'il faut se battre pour autre chose parce qu'on se sent incomplets ou, pire, brisés. Mais au fond, ce qui se présente dans nos vies a sa raison d'être : apprendre à se connaître et devenir la personne qu'on est destiné à être dans ce monde, avec une mission bien précise.

Je me suis vue longtemps comme une pauvre orpheline, une fillette abandonnée, victime d'une situation qui m'a donné tous les prétextes pour boire, me détruire ou me la péter et, ainsi, ne jamais prendre de responsabilités pour ma vie. Toutes les raisons du monde étaient bonnes pour fuir, pour ne pas affronter la réalité telle qu'elle était. Je vivais dans un cauchemar, mais j'étais éveillée.

Pour m'en sortir, je me suis mise en quête de l'homme idéal. Le prince charmant qui allait satisfaire tous mes besoins et me libérer de mes tourments. Le classique du père indisponible m'a menée à toujours répéter ce même scénario : trouver une personne qui ne veut pas ou ne peut pas être avec moi pour différentes raisons et tout faire pour qu'elle m'aime, pour lui faire réaliser le potentiel d'une relation amoureuse extraordinaire. Ces stratégies me gardaient dans un drame constant, une souffrance latente qui se résumait à : « Je ne suis pas aimable, le rejet et l'abandon sont inévitables, alors aussi bien m'amouracher de gens indisponibles. Ça fera sûrement moins mal, de toute façon.» Et j'ai aussi appris qu'on ne peut pas forcer les situations ni les gens à être quoi que ce soit qu'on aimerait qu'ils soient. On ne peut obliger personne à nous aimer non plus. Aujourd'hui, je me trouve chanceuse d'avoir été élevée par ma mère, qui a tout fait pour que je m'en tire «pas trop pire». Oui, je lui en ai voulu parce que j'ai senti qu'elle cachait la vérité, une forme de trahison dans la tête d'une adolescente qui n'avait encore rien vu du monde. J'ai compris, un peu sur le tard, qu'elle refusait qu'on brise le cœur de sa fille, qu'elle me protégeait. L'instinct maternel, c'est fort. Une maman sait toujours ce dont son enfant a besoin. Peu outillée, ma mère a réussi à garder la tête haute et a continué d'avancer même quand c'était difficile, lorsqu'elle croyait qu'elle ne s'en sortirait pas toute seule. On était deux, et ça c'était précieux.

Elle m'a appris beaucoup de choses, ma mère. Le plus bel héritage que j'ai reçu, c'est la résilience. Et c'est cette qualité qui m'a permis de me rendre où je suis aujourd'hui. C'est grâce à l'absence de mon père que j'ai été déterminée à trouver l'amour, le vrai. Celui qui ne fait pas mal, qui est inconditionnel et qui permet de continuer quand tout semble noir et chaotique. Comme dans *Du chaos naissent les étoiles* de Charlie Chaplin, je me suis aimée pour de vrai, j'ai compris le sens du mot « amour-propre ». C'est ce voyage quelquefois douloureux qui m'a menée vers mon véritable prince, mon roi à moi.

Je crois dur comme fer que l'amour, le prince, le conte de fées est accessible à tous ceux qui le désirent ardemment… mais il faut d'abord se donner la chance d'apprendre à être le prince et la princesse de sa propre vie. Sinon c'est un éternel recommencement. Les pages blanches de notre histoire se remplissent de gribouillages, mais rien ne s'écrit, tout se ressemble si on ne prend pas la responsabilité de sa quête.

Sur la scène de l'auditorium de l'école secondaire, Lili-Love, quatorze ans, est vêtue d'une magnifique robe de bal, jaune canari et ornée de broderies. Elle avance seule jusqu'au bout de la scène. Elle fixe le public, la plus grande foule qu'elle ait vue de sa vie, et s'imagine déjà faire un discours à la remise de son Oscar.

Les lumières s'éteignent ; elle entend les applaudissements de la foule qui lui donnent un *buzz* plus grand que tous les joints qu'elle a fumés dans sa jeune carrière de *pothead*. Ses camarades la rejoignent sur la scène pour faire les salutations. Lili-Love est dans un monde parallèle. L'expérience ne se compare à rien. Elle est vue, reconnue et même adulée par ses pairs. Pour la première fois, elle se voit comme la femme de ses rêves : bien dans sa peau, heureuse, belle et libre d'être ce qu'elle veut être. C'est le plus beau jour de sa vie.

Son éducateur conseiller, celui qui la reçoit sans cesse au local d'expulsion pour ses troubles de comportement, vient la voir dans la loge après sa prestation.

— Je te gage que je vais te voir à la télé un jour, toi. Tu m'as fait pleurer !

Lili-Love le regarde, ne croyant pas trop à ce qu'elle est en train de vivre. Elle est émue, mais rien ne sort. Elle est comme figée dans l'espace, mais cette phrase de son éducateur restera gravée à tout jamais dans sa mémoire. C'est à partir de ce moment qu'elle commence à se soucier du regard des autres, qu'elle devient *addict* à cette nouvelle drogue qui a une grande emprise sur elle. Lili-Love ne se doute pas que ce désir de reconnaissance pourrait devenir un problème.

Même si elle cache une gêne extrême, Lili-Love se met à vouloir s'accomplir, se réaliser par ce grand rêve à la suite de cette première expérience théâtrale enivrante. Déterminée, elle réussit à se trouver un agent avec l'aide d'une amie de la famille qui travaille dans une agence artistique. Malgré l'absence d'encouragements à suivre cette voie, elle n'en fait qu'à sa tête. Une vraie guerrière ou une tête de mule, au choix. Elle sait qu'elle a quelque chose à vivre, quelque chose à accomplir. C'est plus fort qu'elle, comme un cri du cœur. Ça doit être ça, le destin.

Carnet de fuite – Espoir –
Quelque part en 2009

Je rêve, je rêve, je ne cesse de rêver, de me voir loin en train de réaliser mes plus grandes aspirations. Je veux jouer, faire du cinéma, écrire et créer ma vie. Je veux une carrière internationale, je veux atteindre les plus hauts sommets de la gloire. Je ne doute pas que c'est possible. Tout est possible si je continue de croire. Et je veux croire en moi et en l'amour.

Maman Merveille est partie pour le week-end. Et la bête de *party* qu'est Lili-Destroy ne cherche qu'à sortir de sa cage. C'est l'heure de la plus grosse *fiesta* en ville, dans la nouvelle maison de la Pointe-de-l'Île de maman Merveille, qui a décidé de quitter le nord de Montréal dans l'espoir de donner un meilleur avenir à sa fille. Et Lili-Destroy, peu importe où elle se trouve, n'a qu'une idée en tête : faire la fête comme s'il n'y avait pas de lendemain.

Dans son nouveau quartier, elle a trouvé l'homme de sa vie. Le plus beau, le plus *wow*, le plus souverain de tous. Chaque fois qu'elle croise son regard dans le cours de mathématiques, c'est comme si le temps s'arrêtait. Ce doit être ça, l'amour.

Il est là. Il est venu au *house party* de feu, le premier d'une série impressionnante dans la vie de Lili-Dee. Personne ne veut manquer ça, un *party* chez Lili-Destroy. C'est sûr que ce sera mémorable. Et lui, le plus beau, il joue la *game*. Il lui dit à quel point elle est belle, à quel point il se fout de son ex. Il trouve les bons mots pour avoir ce qu'il veut, mais la vérité, c'est qu'il aurait pu juste ne rien dire du tout. Lili a un plan : s'enfiler des bières sucrées et des joints pour faire taire sa gêne, au point de ne plus se souvenir de rien, de ne plus savoir comment elle s'appelle. Ce soir-là, elle ne perd pas seulement sa virginité.

La lumière éteinte, Lili-Destroy garde sa brassière triple A sur sa poitrine pas encore formée, et mal dans son corps de fillette, elle est trop soûle pour avoir du plaisir.

— Ça fait mal… Aïe…

Il lui met une main sur la bouche pour qu'elle se taise, pour qu'elle se laisse faire. Sans violence, mais sans amour.

— Ça fera plus mal après la première fois. On va pouvoir baiser tout le temps. Promis.

— Humm… Aïe…

— Presque fini…

Et il l'embrasse pour la rassurer, pour terminer de prendre son pied sans culpabilité. Il lui fait les plus douces caresses et il ne lui demande même pas de le sucer. Un vrai bon gars.

Comme son cerveau avait dépassé la limite d'alcool permise, Lili-Destroy fait face à son premier trou de mémoire. Le réveil est difficile, les vapes de liqueur forte lui montent au nez. Elle remarque du sang sur les draps et un condom rempli de sperme qui traîne sur le plancher de sa chambre. Personne n'est à ses côtés pour lui caresser les cheveux et lui dire que ça va bien aller ou que c'est correct de ne pas se souvenir de la veille. En sortant du lit, elle remarque un immense bleu sur sa cuisse de grenouille. Aucune idée de comment l'incident s'est produit, pas le moindre souvenir de la soirée magique qu'elle avait imaginée. Le défi de cette première dérape : reconstituer la scène de sa première fois.

Ce qu'elle vient de vivre, ça s'appelle un *blackout*. Le premier d'une série impressionnante. Comme inscrite avec de l'encre indélébile, la gravité de son cas est déjà marquée, son autodestruction est enclenchée. Ne pas se souvenir de ses soirées devient une habitude, son mode de vie et parfois même une façon de se déresponsabiliser des conflits qu'elle provoque ou des conneries qu'elle fait quand elle consomme abusivement. Ne pas se rappeler est désormais la meilleure des excuses pour ne pas affronter les conséquences de ses gestes.

Même si sa dignité lui crie par la tête que ce n'est pas normal ni souhaitable de se rendre aussi loin, il n'y a rien à faire. Bizarrement, la débauche lui donne un sentiment de réconfort et une identité propre. Lili-Dee, la *party animal*. L'idée de s'épargner un peu de souffrance n'est pas une option. Du moins, pas pour le moment.

***

Les jours qui suivent sont moins glorieux. Les regards doux et complices dans le cours de maths avec le plus beau des chevaliers ont disparu. Il a repris avec son ex-copine. Lili-Love tombe de haut. Son mariage en blanc, son histoire d'amour merveilleuse n'est déjà plus. Il lui semble que ça ne se passe pas comme ça pour les autres filles de son école. Sa colère envers les hommes, qu'elle catégorise tous comme trous de cul depuis ce jour, est indescriptible. *Anyway*, personne ne sera jamais à la hauteur. Elle n'en veut qu'un : son père, celui qu'elle demande à connaître depuis qu'elle a appris à parler et avec qui elle souhaiterait vivre son conte de fées. Il a beau être non déclaré, maman Merveille doit bien savoir où il est.

L'idée de le trouver devient une obsession qui ne fait que grandir avec chaque bougie d'anniversaire, tout comme sa blessure d'abandon. Pourquoi est-il parti, pourquoi n'a-t-il pas voulu d'elle ? Pourquoi est-elle qui elle est avec toutes ses différences et ses questions qui la hantent ?

Un sentiment d'impuissance la paralyse, mais elle sait qu'elle est la seule qui puisse remédier à cette situation. Pour y arriver, elle doit faire parler sa mère, et l'unique moyen qu'elle connaît, c'est le chantage.

Pendant que maman Merveille écoute *Columbo*, son émission préférée, Lili-Destroy en profite pour lui jouer la comédie comme elle aime tant le faire, déjà. Affublée d'un *trench* gris, d'un chapeau, d'une cigarette et d'un calepin.

— Madame, selon notre enquête, nous avons appris que l'homme non déclaré qui pourrait être le papa extraordinaire de votre enfant est d'origine sud-américaine. Est-ce que vous êtes en mesure de confirmer cette information ?

Maman Merveille regarde sa fille, ayant peine à croire que c'est toujours le même combat. Pour elle, cacher la vérité devient une tâche extrêmement lourde à porter.

— Je ne sais pas où vous avez dégotté ce renseignement, jeune fille, mais je n'ai d'autre choix que de vous le confirmer.

Lili-Destroy reste silencieuse un instant et prend une grande inspiration. Elle fixe sa mère, bouche bée par la tournure de sa propre enquête.

— Euh... vous avez confirmé, madame ? Vous vous sentez bien ?

— Je vous répète : je confirme que le père de ma fille est d'origine sud-américaine.

Lili-Destroy s'attendait à tout sauf à la vérité.

— Selon mes récentes recherches, j'ai appris que l'Amérique du Sud est composée de douze pays et de deux territoires. Pourriez-vous me dire lequel représente la moitié d'où je viens ?

— Je ne m'en souviens plus.

Évidemment, c'était beaucoup trop facile. Maman Merveille se garde tout de même une réserve.

— Madame, pourquoi mentez-vous ? Vous avez menti toute votre vie et je vous donne la chance de vous rattraper, aujourd'hui. La première lettre du pays, sinon vous ne reverrez plus votre fille, elle va prendre un avion pour trouver son père et ne plus jamais revenir.

— T'exagères, Lili Merveille, tu ex-a-gè-res. De toute façon, ton père vit ici, t'as pas besoin de prendre l'avion.

Pendant que Columbo résout l'énigme d'un meurtre à la télévision, Lili-Destroy s'impatiente.

— Là, maman, tu avais dit que tu me le dirais quand je serais une grande fille. Je SUIS une grande fille : seize ans bientôt dix-sept. Je veux juste son nom !

— Lili, laisse-moi finir mon émission.

— La vérité finit toujours par se savoir, pis même si tu veux pas me l'dire, je vais l'trouver pareil. Pis quand j'vais avoir réussi, je vais partir vivre avec lui, même si c'est à l'autre bout du monde. Ça t'apprendra.

Lili-Destroy part en furie et claque la porte de sa chambre. Maman Merveille continue de fixer le téléviseur. Elle termine la dernière gorgée de sa bière, impuissante devant le petit monstre que sa progéniture devient.

Dans son havre de paix, Lili-Destroy trouve une boîte d'allumettes et elle allume aussitôt la cigarette qu'elle avait utilisée pour son costume d'enquêteur. Elle entrouvre la fenêtre et inhale le poison qui la soulage instantanément.

Maman Merveille ne cogne pas, ouvre et découvre sa fille en train de fumer. Elle n'a pas la force de commenter son geste. Elle ne fait que la regarder un instant qui semble durer une éternité.

— Je peux pas t'interdire de fumer comme je peux pas t'empêcher de vouloir connaître la vérité.

— Ça me soulage, la clope. Pis t'as rien à dire, tu fumes.

— Je sais.

Maman Merveille s'approche et lui ôte la cigarette des mains pour en prendre une bouffée. Elle lui tend une petite carte d'affaires en même temps.

— Monsieur l'enquêteur, voici les coordonnées du père de ma fille. Il vit pas loin d'ici. Je vous avoue que j'ai aucune idée de comment il va vous recevoir. Ça m'inquiète franchement, comme le poison que je vous vois respirer tous les jours.

— Merci pour votre coopération, madame. DJ, ça veut dire quoi ?

— Don Juan.

— Ben là, maman ! C'est pas son vrai nom ?

— Presque. C'est son surnom. Parce que j'étais pas sa seule conquête.

Lili-Destroy regarde sa mère, ne comprenant pas trop ce qu'elle tente de lui dire.

— Laisse-moi une *puff*.

Et du haut de ses trois pommes, elle aspire la cigarette comme une femme d'expérience qui fume depuis plus de trente ans.

— Couche-toi pas trop tard si tu veux être capable de te réveiller pour l'école, demain.

— Ça me tente plus d'y aller.

— On fait pas toujours ce qui nous tente, ma coucoune.

— Appelle-moi pas ta coucoune. Ça fait comme si j'étais conne.

Maman Merveille garde le silence, de peur de dire quelque chose de travers. Elle sort de la chambre à moitié soulagée, à moitié plus anxieuse que jamais. L'idée de perdre sa fille n'a jamais été aussi palpable.

Lili-Destroy regarde la carte avec les coordonnées de DJ et réalise que ça ne dit pas son nom.

— Maman ?

— Quoi ?

— C'est quoi son vrai nom ?

— Juste Juan.

Lili-Destroy n'arrive pas à croire qu'elle a enfin réussi, qu'elle est si près du but. Devant un miroir, elle se regarde dans son costume d'enquêteur. Un morceau à la fois, elle se dévêt jusqu'à se mettre flambant nue. Elle observe son corps, qu'elle déteste à cause de sa maigreur. À presque dix-sept ans, elle voit comme un réel cauchemar le fait de ne pas avoir de seins. Elle se met à penser que c'est normal, « amanchée » comme elle l'est, que l'amour de son cours de maths n'ait pas voulu d'elle.

Lili-Destroy, déjà en puissance, tente de convaincre Lili-Love que ce sera toujours ainsi :

— Le problème, c'est toi. Y a personne qui va vouloir être avec une fille comme toi, de toute façon. Tu es trop maigre, trop petite, trop *tomboy*. Tu es juste trop.

— Peut-être que c'était simplement pas le bon ? J'aimerais ça croire que tous les gars sont pas des trous de cul, lance Lili-Love en ayant envie de pleurer.

— Mais ils sont tous des trous de cul et ils veulent juste te baiser, va falloir que tu t'y fasses.

— Mais mon père ?

— Quoi, ton père ? C'est sûrement le même genre de rapace que tous les hommes que tu vas connaître.

— Pourquoi tu dis ça ? T'as pas rapport.

— Il voudra peut-être pas te voir, Lili-Love. T'as pas pensé à ça ? S'il est jamais revenu te chercher, ce doit être pour une raison.

— Peut-être, mais il faut que je le sache. J'vais terminer mon enquête, pis après on verra.

— Columbette à l'œuvre. Bonne chance.

Lili-Love se regarde avec dédain. Elle prend ses deux seins entre ses mains et se met à les palper.

— Allez ! Poussez ! Vous êtes trop lents.

SAGESSE D'UNE FILLE PERDUE

La honte vs la libération

La honte. C'est ça que j'ai fui. La honte d'être qui je suis, la honte de l'endroit d'où je viens et du comment je suis venue au monde. La honte de tout ce qui est possible « d'avoir honte de »... Tellement de dégoût de mon univers que je veux rentrer sous le plancher ou juste prendre un billet d'avion et ne plus jamais revenir dans ma réalité. Pas bien en dedans. Pas capable d'être qui je suis, pas capable d'être bien dans ma peau. La honte, c'est un sentiment de marde qui mène n'importe qui à la destruction. Plus j'ai honte, plus je m'enfonce et plus ça me donne de raisons de vouloir creuser ma tombe, de fuir par tous les moyens possibles et de perpétrer le cercle vicieux qui m'amène à boire, à consommer, à abuser des bonnes choses qui finissent inévitablement par devenir toxiques. C'est une béquille qui a son utilité : soulager le mal-être quand c'est insoutenable.

La honte, c'est le mot que je déteste le plus au monde et j'ai besoin de l'exorciser parce que je n'en veux plus jamais dans ma vie. Je veux être fière de mon parcours, fière d'être devenue une jeune femme accomplie qui réalise ses rêves et fait une différence dans la vie de quelques personnes. Je veux être fière de mes origines même si ce n'est pas rose, même si c'est *dark*, même si ça fait dur et même si c'est douloureux par moments. Il n'en tient qu'à moi de ne pas rester dans la misère de ces sentiments. Je peux m'en tirer et transformer le tout en quelque chose de positif.

Dans le fond, je décide de me rétablir de la honte qui m'a poussée à me détruire. Sans filtre, je peux dire que j'ai fait des abus, que j'ai fait une folle de moi, que j'ai manqué d'amour à mon égard, parce que j'avais pas les bons outils et que c'est tout ce que je connaissais.

Est-ce qu'on peut apprendre quelque part à être bien dans sa peau au lieu de se taper sur la tête et d'avoir honte de ne pas avoir su ?

Je n'ai plus honte. Et personne ne devrait avoir honte parce que ça tue l'âme, comme la culpabilité. Et ces deux mots ne sont plus les bienvenus ni dans mon vocabulaire ni dans ma vie. Je ne boirai plus parce que j'ai honte et je ne reboirai plus parce que je me sens coupable d'avoir honte d'avoir bu. C'est mêlant en mots, mais en actions c'est bien simple : boire, me geler et fumer ne règle rien, ça ne fait qu'empirer les choses. Et boire jusqu'au *blackout*, c'est le comportement le plus destructeur et néfaste que j'ai connu dans ma vie. À bien y penser, l'alcool et la dope, c'est comme du poison que je me *shootais* dans les veines. Et pour un alcoolique, une personne qui ne le tolère pas ou qui a un trouble de dépendance comme moi, ça peut s'avérer mortel. Moi, j'ai choisi de vivre, de ne plus me battre. Je me libère de la honte, donc je me libère de l'alcool. C'est ça, la libération, ne plus être esclave d'un sentiment, d'une émotion et plus jamais d'une substance. Et je souhaite cette libération, du plus profond de mon être, à tous ceux qui ne peuvent plus vivre dans la honte des lendemains et tout ce que la surconsommation implique.

C'est le jour de ses dix-huit ans. Le printemps s'est fait attendre, tout comme la rencontre avec le véritable homme de ses rêves, son père Juan. Lili-Love s'est déguisée cette fois en jeune fille. Elle a décidé de laisser son *kit* d'inspecteur à la maison, même si elle avait bien des questions à poser à son géniteur.

C'est dans son petit appartement du nord de la ville de Montréal que Don Juan a donné rendez-vous à sa fille non déclarée.

Lili-Love arrive devant chez lui. Nerveuse, elle prend son courage à deux mains avant de sonner. Elle a apporté une bouteille de vin qu'elle a achetée, comme une grande, à la Société des alcools du Québec. Juan, lui, l'accueille avec un sac de marijuana, trois grammes et demi. Cadeau de retrouvailles.

Alors que l'homme est déjà un peu pompette à l'arrivée de son invitée spéciale, Lili-Destroy, elle, a pris soin de fumer le petit joint qu'il lui restait, pensant atténuer son anxiété. Beau cocktail pour une première rencontre, pour ne pas se rappeler la soirée la plus importante de sa vie.

À la première impression, Lili-Destroy remarque bien qu'il n'a rien d'un prince charmant ou d'un don Juan. Elle se dit qu'il était sûrement plus beau à l'époque de maman Merveille. Juan a un solide accent hispanique et il a de beaux traits cachés sous des cernes de fatigue ou de lendemain de veille.

Lili-Destroy est bien calée dans un fauteuil du salon tamisé de Juan, elle prend une grosse bouffée du joint qu'elle a roulé avec son cadeau, s'apprêtant à enquêter.

— Ma mère m'a dit que tu voulais pas de moi, que tu étais parti quand j'étais même pas née.

— J'étais marié, j'avais déjà un enfant, c'était difficile de rester... J'aurais peut-être voulu te voir, mais...

— Quoi ?

— Je veux pas trop te dire de choses... J'ai fait une grosse dépression. Ç'a été très très difficile pour moi.

— Fait que j'ai des frères et des sœurs ?

— Oui, deux sœurs, mais je ne les vois plus. Je sais pas où elles sont rendues.

Tout ce que Lili-Destroy entend, c'est bla-bla-bla, bla-bla-bla, bla-bla-bla... des réponses qui ne veulent rien dire, qui lui donnent envie de vomir. Devant elle, elle voit un homme défait. Le père aimant et protecteur qu'elle s'est imaginé toute sa vie aurait peut-être pu demeurer un simple fantasme. Un Don Juan non déclaré, ça aurait fait moins mal.

Mais non, la vie en a voulu autrement. Il a maintenant un visage, une voix, cet homme, son géniteur. Son enquête commence tout juste, mais Lili-Destroy en a marre de ce rôle, elle veut jouer à autre chose. Chercher la vérité, ça sert à quoi si ça ne fait qu'apporter des déceptions ? Elle veut juste oublier que l'homme de ses rêves n'a pas de cheval blanc et qu'il ne pourra pas la sauver, ni même l'aimer.

Il est où le bar le plus proche ? qu'elle se demande. Elle veut s'enfuir, ne pas rester une minute de plus avec cet inconnu qui ne la voit pas de toute façon. Il ne pense qu'à lui depuis le début de la soirée, il n'a aucune idée de ce qu'elle a pu vivre pendant toutes ces années.

Désillusion totale. Son cœur craque. Sa mère avait raison, Lili-Destroy aussi.

À partir de ce moment, Lili-Love décide de faire un pacte avec Lili-Destroy, son *alter ego*. Elles vont tout faire pour réaliser leurs rêves les plus fous, pour prouver à Don Juan qu'elles sont extraordinaires, qu'elles ont de la valeur. Les Lili aimeraient seulement être reconnues, que leur père soit fier d'elles et qu'il prenne ce rôle au sérieux.

Les rêves, au fond, c'est ce qui leur permet de rester vivantes, d'affronter le monde. Et c'est à partir de cette rencontre que leur plus grand désir a commencé à se renforcer, celui d'être actrice, de jouer au cinéma… Sans doute une façon originale et déguisée de fuir la réalité. Mais peu importe le pourquoi ou le comment des rêves, les Lili savent que l'essentiel, c'est d'essayer, parce que c'est seulement en tentant leur chance qu'elles pourront mourir en paix. Autrement, les regrets les assailliront à tout jamais.

Malgré la déception de cette rencontre, la beauté de ce rendez-vous manqué est que les

Lili reçoivent un cadeau qui va aligner leurs destinées aux grandes fuites de la vie : la piqûre des voyages, des langues et de l'art. Elles se promettent d'apprendre l'espagnol et de partir un jour au Sud, à la découverte de leurs origines.

***

C pour Chili. C'est la première lettre du pays du père inconnu maintenant un petit peu connu. Après le premier rendez-vous manqué, Lili-Love décide de ne plus le revoir. Elle ne sait trop pourquoi, mais ça se passe ainsi. Elle retourne à sa vie quotidienne, heureuse d'avoir pu mettre un visage sur son géniteur, mais déçue par son accueil, qui n'a pas comblé ses attentes. Et puis, au fond, elle et maman Merveille s'en tirent bien, elles peuvent passer au travers de toutes les tempêtes, tant qu'elles restent ensemble, sans hommes.

Mais la curiosité, c'est plus fort que tout. Lili-Love annonce peu de temps après cette rencontre qu'elle part à la conquête de ses origines sud-américaines, que c'est un rêve que personne ne peut l'empêcher de réaliser. Maman Merveille ne se fâche pas souvent, mais là la peur qui l'envahit de perdre son bébé est si forte qu'elle dérape.

— À quoi ça sert ? Tu as vu c'est qui, pourquoi tu dois te rendre là-bas ? C'est dangereux comme pays, surtout pour une fille seule.

Pourquoi ne pas te concentrer sur tes origines du bas du fleuve ?

— Très drôle. La famille de mon père va m'héberger.

— C'est vrai, ça ? Et ils sont fiables ? Tu les connais encore moins... Y en est pas question.

— Au pire, je vais aller dans les auberges de jeunesse. J'ai pas peur de voyager. Pis je suis majeure, t'as rien à dire.

Maman Merveille est bouche bée devant son arrogance.

— J'ai peut-être rien à dire, mais tu vis encore sous mon toit.

— Tu me menaces, astheure ?

— Non, j'essaie de te dire que tu peux pas toujours faire tout ce que tu veux dans la vie. Avec quel argent tu vas aller là ?

— Mon héritage, que tu pourrais me donner en avance ?

Maman Merveille la dévisage.

— C'est non. Tu t'en vas nulle part.

Et c'est sans doute le premier vrai « non » que sa mère a réussi à verbaliser depuis le début de sa vie de parent. Lili-Love, découragée, secoue la tête. Elle annule son projet. Mais ce rêve commence à l'habiter presque autant que celui de se faire reconnaître, de devenir une remarquable actrice.

Le Sud doit attendre. D'ici là, elle a des choses à vivre avant d'être prête pour le grand voyage.

***

Flash-back. Dix-sept ans. Presque toutes ses dents. Lili-Destroy a réussi à entrer au bar le plus *cool* en ville. Elle a traficoté sa carte d'assurance maladie comme une vraie, pour que son année de naissance lui donne dix-huit ans.

Malgré que Lili-Destroy ait un air prépubère, le portier la trouve sympathique et, même s'il a clairement remarqué que sa carte est beurrée de *liquid paper*, il la laisse entrer dans ce qui sera sa seconde maison pour les quatre ou cinq prochaines années.

Et c'est parti ! Lili-Destroy est complètement défoncée sur la piste de danse ; soirée épique dont elle n'aurait dû avoir aucun souvenir si elle s'était rabattue seulement sur l'alcool. Mais non, une nouvelle amie apparaît par cette belle nuit d'été, dans un stationnement sombre du centre-ville. Madame Coca, pour les intimes, s'immisce dans sa vie et lui donne l'impression d'être invincible, de pouvoir conquérir le monde, d'être quelqu'un, même si elle n'a pas de père. Quand elle ne *sniffe* pas, Lili-Destroy devient trop soûle, trop émotive, et elle comprend vite qu'il y a rien de plus poche qu'être celle qui fait des crises de larmes ou qui n'est pas capable de fermer le bar. Comme elle coûte cher, madame Coca n'est pas là tous les jours ni tous les soirs… Elle se pointe le bout du nez souvent par magie, exactement quand Lili-Destroy a besoin d'elle. Et c'est le début d'une union qui durera dix longues années.

Et bang ! Comme la foudre, son prince apparaît devant elle sans crier gare. Lumineux et *dark* à la fois. Il est grand. Beau. Doux. Souriant. Accueillant. Elle croit halluciner, mais non. Il est bien réel, avec son *look* de *bad boy* de bonne famille.

Ouf ! Est-ce que c'est vraiment elle qu'il regarde ? Probablement. Il doit se demander ce qu'elle fait, avec ses trois pommes et quart de haut et son air de fillette de douze ans, dans un bar à cette heure ou même ce qu'elle fait encore debout à cette heure, tout court. Son *high* de coke se fait bien ressentir et rien ne peut arrêter Lili-Destroy de connecter. La peur de se faire virer de bord est inexistante.

Elle s'approche du bar à *shooters* où il se trouve, en train d'observer la salle remplie de jeunes gens, pour la plupart aussi défoncés qu'elle.

— T'aimes-tu ça, les petites ?

Ce prince, qu'elle appelle l'Inaccessible, semble extrêmement timide. Il ne boit pas, ça doit jouer sur sa gêne, qu'elle se dit.

— Si j'aime les petites ?

— Ben, parce que je suis vraiment petite. Comme tu peux voir.

— C'est vrai que t'es pas grande. Mais c'est *cute*.

— J'ai dix-huit, là.

— J'aurais jamais pensé que tu étais si vieille.

Lili-Destroy lui sourit. Elle ne se rend pas compte qu'il la niaise.

— Toi, tu as quel âge ?

— Tu penses que j'ai quel âge ?

Lili-Destroy profite de sa question pour se commander des *shooters*. La *cruise*, c'est pas le fort de tout le monde ! La *shot* d'alcool passe par le mauvais trou et Lili-Destroy, devant son prince, régurgite la moitié du mélange en plus de s'étouffer. Malaise. En bon gentleman, il lui donne une bouteille d'eau. Cet homme – elle ne connaît pas encore l'impact qu'il aura sur elle – lui fait croire en la bonté du genre humain.

— *Shit !* J'ai l'air de pas être capable de boire. Ç'a été dans ma trachée. C'était bizarre. Je pense que tu as vingt-trois.

— J'ai vingt-sept, bientôt vingt-huit.

— Ah oui ? C'est quoi ton signe ?

— Sagittaire.

— Oh *wow* ! C'est parfait, ça, c'est mon signe préféré.

Dix ans de différence. Meilleure chance la prochaine fois ! Lili a déjà eu plusieurs aventures, des *fuck friends* et le cœur brisé à chaque relation, mais un homme de cette trempe, c'est vraiment intimidant. Le *timing* est sûrement pas bon, de toute façon.

— Merci pour la bouteille d'eau.

— Ça me fait plaisir, la petite.

Et Lili-Destroy lui fait un signe de tête. Il y a un certain je-ne-sais-quoi entre eux deux, mais elle ne saurait dire quoi, comme si elle reconnaissait son âme… ou c'est peut-être juste les phéromones qui s'excitent. Spécial. À chaque regard, elle joue la séductrice, un rôle qui ne lui va pas si bien que ça. Elle est *cute*, Lili-Destroy. Un genre d'ange cornu, mais elle est loin d'être femme fatale. Elle est plutôt de nature à faire rire, à surprendre par sa désinvolture et son franc-parler. Une petite bête attachante, au fond, qui ne demande qu'à être apprivoisée.

Et c'est reparti. Elle retourne sur la piste de danse du côté hip-hop, où elle s'en donne à cœur joie sur les caisses de son avec un autre gars, plus jeune, plus soûl… vraiment moins prince.

***

Depuis la rencontre avec son père-géniteur et la fameuse soirée où elle a perdu sa virginité, les deux plus grandes déceptions de sa jeune vie, Lili accumule les brosses, les *blackouts*, elle multiplie les baises au point qu'elle ne se reconnaît plus. Ça fait donc ben mal en dedans, mais c'est pas supposé être ça, la vie ? Des hauts, des bas ?

Quelques années passent et, un soir de *fiesta* où elle se rend au bar, elle réalise que sa seconde maison est fermée. Les propriétaires ont finalement mis la clé sous la porte. L'hypothèse la plus probable est qu'ils ne pouvaient plus payer les amendes pour avoir fait entrer une quantité impressionnante de mineurs dans la place. Une époque vient de se terminer. Et en même temps, Lili-Destroy doit faire son deuil de revoir l'Inaccessible, le *bad boy* qu'elle voit dans sa soupe depuis cinq ans. Il ne quitte jamais ses pensées malgré les *blackouts*, comme s'il avait pris un abonnement VIP dans une partie de son cerveau.

Lili-Destroy change de bar, continue de coucher à gauche et à droite sans penser aux répercussions, ou au fait indéniable qu'elle se manque de respect à chaque pipe, à chaque baise. Et chaque fois, l'alcool est au rendez-vous. Sans lui, elle est incapable de se mettre nue, littéralement. Elle se marque un peu plus au fer rouge en laissant la boule noire de honte se propager et la culpabilité, saboter le grand amour qui lui est destiné.

Carnet de fuite –
Quelque part en Asie en 2014

En attendant... S'il y a une expression de marde qui existe, c'est bien celle-là : en attendant. Si tu attends quelque chose, quelqu'un ou quoi que ce soit, c'est juste pas ça. Comme être avec quelqu'un en attendant l'amour, le vrai. Je ne veux pas attendre, je ne veux pas de « en attendant ». Je veux du beau, du simple et du vrai. Du fucking vrai, du fucking beau et du fucking simple. Eh la la! La vie devrait toujours être simple et belle, sans trop de tracas, sans attentes. Pour profiter de chaque seconde sans attendre, jamais. Moi, je vais vivre longtemps, je vais aimer et je vais me faire aimer. Je vais avoir la force. La force d'être la personne que je veux être. Toujours.

Au nord

« The secret of life, though,
is to fall seven times and to get up eight times. »

Paulo Coelho

« *Holy shit!* C'est la petite de *Ramdam* ! » Cette phrase, je l'ai entendue très souvent dans ma vie. Et le monde pense et me dit: « Ta vie va bien, tu réalises ton rêve, ça doit être merveilleux. »

Retour en arrière, en 2004. J'ai dix-neuf ans et je décroche le rôle de Kim Bellavance, la petite de *Ramdam*.

Description : douze ans, face de petit chat, énergique et pleine de vie, elle aime jouer aux pichenottes avec Gary-Bob, le petit frère de Shandy.

J'avoue que *Ramdam* est mon émission préférée, à l'époque. Je capote ma vie de me joindre à ce groupe d'humains extraordinaires. Le seul petit hic, c'est que je ne connais rien du métier d'acteur. Je suis terrifiée et je tremble comme une feuille au premier jour de tournage. Je ne suis pas très bonne, mais j'ai un peu d'instinct et la caméra m'aime, alors je m'en tire… On commence rapidement à me reconnaître dans la rue et je n'ai aucune idée de comment affronter ma nouvelle réalité de personnalité semi-connue.

> **Je n'arrivais comme pas à gérer le changement, la popularité, le succès.**

Je joue dans l'émission jeunesse la plus populaire de l'heure, je fais du beau *cash* et surtout… je suis devenue l'amie de Manolo ! Deux de mes rêves les plus fous sont exaucés. J'ai l'impression que je suis partie pour la gloire, j'apprends mon métier et je reçois plein d'amour du public. Mais pour une raison que j'ignore, même si j'ai toutes les raisons du monde d'être heureuse, je n'arrive comme pas à gérer le changement, la popularité, le succès, les émotions et cette nouvelle vie excitante, mais ô combien terrifiante !

Début des montagnes russes

Dans ce tourbillon fou, j'apprends que je suis une *party animal*. Cette identité me va à merveille ! Je traîne dans les bars, je deviens *chummy* avec les barmans et les *doormans* du Diable Vert, du Loft, des « Foufs ». Je ne paie jamais de *covers*, je passe devant tout le monde dans les *line-up* et je peux faire entrer les amis gratis ! J'ai genre un horaire : mardi Loft, jeudi « Foufs », vendredi Loft, samedi Diable ! C'est le temps des *shots* de Sour Puss, de Reel Big Fish sur le *dance floor*, du sexe dans les coffres de char (ouin...) et de la consommation de drogues de toutes sortes dans des vieilles toilettes pas propres.

> **J'ai à peu près huit ans dans ma tête et je me trouve tellement *cool*.**

Mon personnage de Kim devient de plus en plus populaire, mais ça me gosse raide de me faire aborder dans les bars parce que, le plus souvent, je suis bien pétée, déchirée, arrachée, déchaussée, gelée (du grand vocabulaire de fille de *party*). Tellement que ça m'arrive de « faire de l'attitude » aux *fans* qui sont vraiment heureux de m'apprendre que j'ai donc l'air plus jeune que mon âge. Grosse nouvelle ! *Comme si je le savais pas,* dude. Ciao, bye, *j'ai rien à te dire, laisse-moi jouer au* pool *tranquille, je suis vraiment bonne avec un verre dans l'nez !* que je me dis et que je leur fais sentir avec ma belle attitude de marde. J'ai à peu près huit ans dans ma tête et je pense tout connaître du monde. La vérité, c'est que je ne suis pas si *nice*, mais moi je me trouve tellement *cool*. Je vis une vie de *rock star*, *Ramdam style*.

Une fois, au Loft, je me fais offrir de la kétamine par un de mes faux amis de *party*. C'est quoi, ça ? C'est de l'anesthésiant pour chevaux, ou de la ké, pour les intimes. Cette fois-là, j'en prends trop, mes amis disparaissent, et moi, je me rappelle plus mon nom. J'ai juste une image dans la tête, une image qui aujourd'hui me fend le cœur en mille morceaux.

Moi, toute petite, toute seule, écrasée dans un coin du bar, genre l'entrée principale où TOUT LE MONDE passe pour sortir... Mon prince charmant, un employé du Loft que j'aime en secret, vient me porter secours. *Blackout*[*].

***

C'est la fin de l'automne. L'hiver approche et Lili-Destroy ne sait plus quoi faire de sa peau. Les nombreux lendemains de veille sur le plateau de tournage de son plus grand rêve ne l'ont pas encore mise dans le trouble, mais il faut qu'elle se reprenne en main si elle ne veut pas *scrapper* son avenir.

Mais la réalité du moment, c'est que les soirées se terminent souvent aux petites heures, avec les nouveaux amis comédiens extravertis. Lili-Destroy et son identité de *party animal* semi-vedette commence tranquillement à

---

* « Récit d'une vie de *party* », *Urbania*, 27 février 2017.

s'emparer de tout : sa beauté intérieure, son estime personnelle, sa capacité de prendre des décisions éclairées. TOUT. Elle paie le prix en lendemains de veille, en ITS et en conséquences diverses de sa consommation abusive de tout ce qui la gèle et qui l'éloigne de sa vraie nature.

Le bonheur, il est où ? Elle pensait y goûter en devenant une personnalité connue. Mais *fuck*, c'est de la *job* de se faire reconnaître dans la rue, de recevoir autant d'amour alors qu'elle-même n'est pas capable de s'en offrir une petite dose quotidienne.

Fait que, tant qu'à pas savoir où se mettre, Lili-Destroy décide de partir dans l'Ouest canadien pour apprendre l'anglais pendant ses trois mois de vacances. Un de ses plans de vie : avoir une carrière internationale, un jour, même si c'est encore nébuleux juste de jouer dans sa langue maternelle. Elle veut jouer. Tout court. Elle n'a aucune idée de ce qui l'attend, mais son intuition lui dit de partir, que ce sera plus facile d'être elle, là où personne ne la connaît.

Son premier voyage en avion, c'est pas pour aller au Chili, mais c'est quand même un méchant beau *trip*. Elle ne sait pas encore qu'elle va devenir accro à ce type de fuite, mais à la minute où elle arrive en terrain inconnu, Lili-Destroy comprend que la possibilité de repartir « sur une *go* » sera toujours à portée de main, que ça goûte aussi bon qu'un *hit* d'héroïne, les risques d'*overdose* en moins. Elle pogne la piqûre.

Les montagnes de Banff sont immenses et l'altitude lui donne quasiment un *buzz*. Ça va sûrement bien boire, ce soir. En effet, ça soûle plus vite en hauteur et c'est plus facile de parler aux beaux gars avec un verre dans l'nez et même une petite pilule. Pourquoi pas ? C'est la grosse mode là-bas.

Depuis le fond du bar, elle *spotte* deux hommes de sa vie : le barman, qui ressemble à un Adonis (toujours pratique d'en avoir un de son bord pour les verres gratuits), et l'autre, un gosse beau comme un dieu qui vient du Québec. C'est lui qui lui fait oublier les cicatrices toutes fraîches de son petit cœur. Ils s'embrassent toute la soirée, et l'amie d'enfance avec qui elle a décidé de faire ce voyage a comme moins d'importance tout d'un coup. Leurs chemins se séparent à ce moment, mais pas pour toujours. La première vraie amie, c'est précieux.

Le *trip* dans l'Ouest devient vite un *trip* dans le Nord parce qu'elle le perd. Carrément. Complètement aveuglée par son bien-aimé, qui ne veut finalement pas plus que les quelques baises qu'ils ont eues, Lili-Destroy se met en route, sur le pouce, vers des contrées lointaines. Elle se dit qu'en le laissant, il va finir par s'ennuyer d'elle et lui dire de revenir ou, mieux, il va l'empêcher de partir. Mais non, ça ne se passe pas comme dans son plan.

Rendue dans le Nord, elle trouve une *job* de vendeuse de magazines et fait du porte-à-porte. *Why not?* Ça va lui changer les idées. Elle fait la rencontre de jeunes, un peu perdus comme elle : un gai pas encore assumé et une fille de la Colombie-Britannique un peu *punk* sur les bords qui rêve de vivre à Montréal, un jour.

— J'ai entendu dire que la vie nocturne était vraiment géniale là-bas, mentionne la petite *punk*.

— Oh oui ! Quand tu connais les bonnes personnes, tu peux passer la nuit sur le *party*.

— Qu'est-ce que tu veux dire ? demande-t-elle, intriguée.

— Genre... Y a des bars qui ferment pas et tu peux trouver de la coke partout.

— Vraiment ?

La nouvelle copine est impressionnée.

— Oui, en quelque sorte.

— Moi, j'ai entendu parler d'un village gai. Ça existe pour vrai ? Ça ressemble à quoi ? demande l'ami gai en faisant comme si ça ne le concernait pas.

— C'est vrai. Y a un village gai et plein de gens étranges qui déambulent dans la rue Sainte-Catherine !

— *Wow!* C'est fou ! J'ai vraiment besoin de voir ça.

Enthousiaste, il se retrouve les yeux remplis d'étoiles.

— Pour vrai, les bars ferment à trois heures, mais dans le Village, y ont des *after-hours* où tu peux danser toute la nuit. Tu peux t'acheter du *stock* qui va te garder éveillé jusqu'aux petites heures. Pis l'âge légal pour boire est dix-huit ans.

— C'est dix-neuf, en Colombie-Britannique, lance la *punkette*.

— Dix-huit, en Saskatchewan, ajoute le gai pas encore assumé.

— Ouais, mais personne veut faire le *party* à Saskatoon ! lui fait savoir Lili-Destroy comme si elle détenait la vérité.

Et ils n'arrêtent plus de rire. Les deux Canadiens anglais, eux, rêvent du Village de Montréal et de la *fiesta* qui s'étire jusqu'au matin.

Lili-Destroy doit retourner au Québec pour recommencer ses tournages. Elle se donne à fond pour faire un coup d'argent dans la vente de magazines. Avec son pouvoir de persuasion inné, elle réussit rapidement à accumuler les profits. Trois semaines plus tard, elle déserte avec un nouveau jouet en main, un bolide de course tout blanc, une petite Jeep décapotable qui lui donne des ailes… Du moins, jusqu'à la prochaine *bad luck* ou, mieux, la prochaine destination.

Banff l'appelle de nouveau. Son cœur craqué lui souffle que c'est la chose à faire, retourner voir son amour de voyage avant de rentrer à la maison. Il n'a pas demandé à la revoir, mais dans sa tête c'est la meilleure idée.

***

De retour à son bar préféré, et défoncée par l'alcool et la drogue, Lili-Destroy ne tient plus debout. Alors tant qu'à ne pas pouvoir marcher, elle décide de prendre son véhicule pour rejoindre son bien-aimé, qui n'a pas donné signe de vie depuis un bout. Détail pas trop important à ses yeux de fille intoxiquée, elle se rend à son appartement pour lui faire une surprise, en guise d'adieu. Insouciante face au danger, même à la limite du coma éthylique, elle se croit invincible et capable de manier le volant. Elle se retrouve, chauffarde, dans une ville qui se traverse à pied en vingt minutes. Ça, c'est Lili-Destroy au *top* de sa forme.

Oups. Arrivée à bon port et sur le point de sortir de la voiture, elle voit un policier qui se pointe à sa fenêtre. Elle reste bien calée dans son siège et allume une cigarette pour essayer de camoufler l'odeur de l'alcool.

— Jeune fille, je vais vous demander de descendre de la voiture…

— Mais de quoi vous parlez ? Je suis rendue chez moi. Vous pouvez pas m'arrêter.

— Descendez. Maintenant.

— Je suis arrivée, c'est ma maison. Laissez-moi aller dormir. J'ai pas tué personne, à ce que je sache.

— Vous semblez être sous l'influence de l'alcool. Au-delà de la limite permise par la loi.

— De quoi vous parlez ? J'suis rendue chez nous, j'veux juste dormir ! *Come on !*

— Vous êtes pas chez vous. Vous êtes en état d'arrestation.

— *What the fuck !*

Cauchemar. Lili-Destroy est à peu près inconsciente de ce qui est en train de se passer. Comme un zombie, elle se glisse sur la banquette arrière, les mains menottées, comme une vraie dure à cuire.

— Je suis pas soûle ! *Fuck !* Je suis pas soûle, *criss* !

— Je vous suggère de faire attention à votre langage si vous ne voulez pas avoir plus d'accusations portées contre vous. Vous êtes déjà dans le trouble.

— *Fuck you, fucker !*

Lili-Destroy est hors de contrôle, comme si le diable s'était emparé de son petit corps et de son âme.

Arrivée au poste de police, elle a droit à un appel. Elle décide de téléphoner à son « copain pas copain » pour qu'il vienne la chercher. Pas de réponse. Elle recommence à quelques reprises jusqu'à ce qu'elle entende sa douce voix.

— Je suis dans marde, je pense. J'ai conduit en état d'ébriété, pis j'me suis fait arrêter. Peux-tu venir me chercher ?

— J'dors. Pis t'étais pas dans le Nord, toi ?

Lili tombe des nues. Est-ce que c'est vraiment ce qu'il dit ou elle hallucine ?

— *Fuck you.*

Elle retourne dans sa cellule, frustrée par la tournure des événements. Elle donne un coup de poing dans le mur de béton. Super idée qui lui vaut un poignet foulé en plus de tout le reste. Le policier revient avec la « machine à souffler ». Lili-Destroy a beau essayer de le niaiser, elle n'a pas d'autre choix que de s'y soumettre. L'éthylomètre indique *Warm up* et, quelques instants après, on lui confirme son taux d'alcoolémie dans le sang : 0,16. Le double de la limite permise partout au Canada.

***

Le réveil est aussi dur que le plancher sur lequel elle a dormi. Lili-Love a honte d'elle. Elle est pas trop certaine de ce qui va se passer, mais elle sait qu'elle doit trouver une solution. Elle doit être forte et débrouillarde. Comme d'habitude. Le même policier que la veille la laisse sortir de sa cellule.

— Vous pouvez plus conduire en Alberta. Vous devez décider si vous serez jugée ici ou dans votre province natale. Si vous voulez retourner chez vous, vous devez ramener votre voiture, mais quelqu'un d'autre doit prendre le volant pour vous sortir de la province.

— Montréal.

— Quoi, Montréal ?

— C'est là que je serai jugée.

— Ok, mais vous devrez plaider coupable.

— Je m'occuperai de ça à mon retour à Montréal.

— Vous souvenez-vous de ce qui s'est passé hier soir ?

— Non, pas vraiment. J'ai fait un *blackout*.

— Heureusement, vous n'avez tué personne, mais vous auriez pu. Et prendre ce risque à votre âge, ou à n'importe quel âge, c'est dangereux. Vous pourriez briser votre vie pour de bon. Vous savez ça, non ?

— Je sais. Je vais être correcte.

— Vous serez peut-être pas toujours correcte.

— Vous êtes qui, vous ? Le bon Dieu ?

— Je disais ça comme ça. Bonne chance pour la suite.

— Merci, monsieur le policier !

Lili-Love repart, la tête basse. Elle a beau être la *top* rebelle dans l'univers de Lili-Destroy, elle n'est pas conne. Elle l'a échappé belle, mais elle doit vraiment arrêter ce genre de niaiseries. C'est une fille intelligente, elle va tenter de contrôler sa consommation.

***

Lili-Love n'a pas pu dire au revoir à son beau Québécois de l'Alberta, l'homme de ses quelques nuits oubliables, pour ne pas dire déjà oubliées dans les vapes de l'alcool et de l'ecstasy. Ça ne se fait pas en criant bonbon, mais Lili-Love se résout à mettre une croix sur lui parce qu'elle se souvient de la leçon : une personne qui n'offre pas son aide quand le trouble se présente, ça veut dire beaucoup.

Le lendemain de veille de sa nuit en prison s'étire sur quelques jours et, malgré tout ce branle-bas de combat, elle caresse l'espoir de le revoir au Québec. L'illusion qui fait souffrir Lili-Love, c'est de penser que l'amour se trouve dans l'autre.

C'est bientôt l'heure du *reality check*, avec un dossier criminel qui l'attend à la maison. Elle doit avoir le courage de prendre la grand-route, de retourner au bercail et d'admettre devant maman Merveille que sa première fuite géographique lui a récolté qu'un paquet de troubles. La honte à son comble. Mais une fois n'est pas coutume, qu'elle se dit… ou plutôt, qu'elle espère.

Le matin même de son grand départ, Lili-Love fait la rencontre d'un frère et d'une sœur québécois de son âge : Zack et Mimi, qui doivent se rendre dans la belle province assez rapidement. Ils savent conduire et ils ont le goût de l'aventure. Tout s'arrange. Ça lui coûte moins cher d'essence et elle entrevoit du gros *fun* à l'horizon pour les cinq mille kilomètres à parcourir. *Road trip!*

Les Prairies, c'est long et plat longtemps. Assez pour apprendre à connaître des gens, se raconter toutes les histoires du monde, confier ses rêves les plus fous et créer des liens. C'est magique. Elle voudrait que ça ne finisse jamais. C'est trop tôt pour arriver à la maison, c'est trop tôt pour retourner à la vraie vie, qu'elle se dit.

Pendant que Zack dort comme une bûche à l'arrière, Mimi, la nouvelle amie, et Lili-Love passent leur temps à jaser de la vie.

— Tu vas faire quoi en revenant à Montréal ?

— Je recommence à jouer dans l'émission… pis je vais perdre mon permis de conduire parce que j'ai été une grosse conne qui a bu et pris le volant, pis qui s'est fait pogner, surtout.

— Malade ! Tu travailles avec plein de vedettes ? la questionne Mimi, enthousiaste.

— Ouais, c'est *nice*, mais des fois on dirait que j'y crois comme pas.

— Qu'est-ce que tu veux dire ?

— Je crois pas que ça m'arrive à moi, genre. On dirait que je trouve que j'ai pas rapport là.

— Mais s'ils t'ont prise dans l'émission, tu dois être bonne, non ?

— Je sais pas, j'ai l'impression d'être n'importe quoi. J'étais certaine que je deviendrais heureuse en décrochant le rôle de ma vie, mais là je sens juste que…

— Que quoi ?

— Je sais pas trop… Que je me plante.

— Y est pas trop tard pour te reprendre en main, non ? Tu règles tes affaires une fois à Montréal, pis tu te donnes à 110 % pour réussir à faire… ton métier ?

— J'ai rêvé de ce métier-là depuis l'âge de quatorze ans, genre… J'avais fait une pièce de théâtre à l'école et l'éducateur conseiller, *oh my God*, il était tellement beau… En tout cas, il m'avait vue jouer et il m'avait dit à quel point il m'avait trouvée bonne pis touchante. C'était la première personne à m'encourager à faire ce métier-là… la seule, dans le fond. J'étais une petite rebelle, tout le temps rendue au local d'expulsion, fait qu'on avait appris à se connaître. C'était la première fois de ma vie que je recevais autant d'amour, pis que je me sentais à ma place. Pis j'ai juste pas arrêté de croire à ce rêve-là. Je me suis trouvé un agent, pis j'ai fait des tonnes d'auditions, mais j'ai rien décroché avant l'année dernière…

— Mais là, tu devrais être fière de toi !

— Ouin… Je sais pas trop pourquoi je l'apprécie pas tant que ça.

— C'est un de mes rêves, moi aussi, être comédienne. J'imagine que c'est le rêve de ben du monde, confie Mimi.

— Sûrement. Mais pourquoi t'essaies pas ?

— Je sais pas trop. J'ai peur que ça marche pas. T'as pas peur, toi, Lili ?

— Ben oui, j'ai peur. Mais si je l'essaie pas, je vais le regretter. Les regrets, c'est stupide, autant que la peur. Mais c'est pas moi qu'il le dit, c'est Marilyn.

— Marilyn ?

— Monroe.

— Ah.

Carnet de fuite – Août 2012

Il en a coulé, de l'eau sous les ponts,
ces quatre dernières années. La peur
s'évapore. Pas complètement, mais je sais
que la suite logique, c'est la mort. Naître,
vivre, mourir, et à chacune de ces étapes
je souris et je sourirai toujours, car je
reviendrai, comme je suis déjà revenue.
Je tente toujours plus de ne pas avoir
peur. Peur de rien, ni même de moi.
J'avance et chacun de mes pas
me fait sourire, car ils m'emmènent
dans la direction que je désire.
Je fais des rencontres qui me laissent très

rarement indifférente. J'essaie de tirer le maximum de chacune de mes expériences parce qu'elles sont les meilleures professeures, meilleures que toutes les écoles du monde. Je suis pas allée à l'école beaucoup, moi, pis je me rends compte que même si ma mère avait voulu que je décroche des tonnes de diplômes, c'était juste pas ça, pour moi... Je ne peux pas forcer la direction du vent. Ma place est ailleurs que sur les bancs d'école.

Jour de cour. Pas suprême, mais c'est imposant pareil. Tout ce décorum pour la culpabilité ou la justice, ça dépend de la perspective et du banc sur lequel on se retrouve. Ça fait déjà plus de six mois que la fameuse soirée en prison dans les Rocheuses a eu lieu. Lili-Love ne s'en vante pas, mais elle a conduit en état d'ébriété à plusieurs reprises depuis... à Montréal, et même avec l'auto de maman Merveille. C'est à se demander si ces comportements sont dus à l'arrogance de la jeunesse, mais dans tous les cas les Lili se croient fréquemment intouchables. Sauf que l'éternité, c'est pour les dieux, pas pour les humains qui jouent avec le feu.

À force de jouer avec, on finit par se brûler, *anyway*.

Lili-Love est bien mise pour l'occasion, en partie parce qu'elle veut impressionner le juge avec son *kit* d'ange, mais surtout parce qu'elle a passé une nuit douce avec son premier vrai amour. Un homme plus âgé qu'elle, bon et disponible à sa façon, qui a un permis de conduire – quelle chance ! – et une voiture – double chance pour une fille qui déteste les transports en commun. Et il a envie de lui faire faire des tours de ville gratis en lui chantant la pomme. Littéralement. C'est un chanteur.

Un mal de cœur lui prend pendant le prononcé de sa sentence. Verdict : un dossier criminel, une amende de 1 000 dollars, une formation obligatoire à Alcochoix pour que la « société » détermine s'il y a des risques qu'elle soit une récidiviste, et on lui retire son permis de conduire pendant un an.

À la façon dont elle s'est comportée dans les derniers mois, elle a toutes les chances de récidiver dans un avenir rapproché, mais quand viendra le temps de jouer la comédie pour obtenir ce qu'elle veut elle saura avoir l'air de la bonne petite fille qui a appris sa leçon.

De toute façon, elle n'est pas rendue là. C'est le moment présent qui compte, et en ce moment la vie a mis un chauffeur-*lover* sur sa route. Il l'attend à sa sortie du palais de justice. Il est bien vêtu, mais bon, il n'a pas de cheval, juste une vieille Sebring bleue. Les sauveurs n'ont pas tous les moyens de s'acheter un cheval, elle peut pas trop en demander. Ça peut quand même être lui, *the one*? Il a tellement chamboulé son cœur que, cette fois, elle n'a pas eu de rapport sexuel. Un exploit pour une fille qui couche le premier soir depuis qu'elle a perdu sa virginité. Elle s'est donné le défi de patienter un mois. Trente jours sans sexe pour s'assurer qu'il n'est pas un autre trou de cul qui veut juste la baiser, comme le veut la croyance qu'elle entretient depuis déjà un bon nombre d'années.

***

Flash-back. Lili-Destroy est revenue depuis peu de son escapade dans l'Ouest canadien. Le bar de quartier de Saguenay est en feu, malgré le fait que c'est une nuit froide de mars. C'est soir de spectacle, et madame Coca fait sa loi dans les narines de tous les clients de la place. C'est la mode, la poudre. Encore et toujours. Partout. Tout le monde en fait pour veiller, pour éviter les *blackouts* qui peuvent gâcher l'*party*. Parce qu'elle consomme moins de petites pilules, Lily-Destroy a bien besoin de madame Coca pour pouvoir fermer le bar avec les plus tannants. Parce que perdre son identité de *party animal* dans le fjord n'est pas vraiment une option.

Elle a beau être en tournée de séances d'autographes avec quelques copains du *show* jeunesse qu'elle tourne depuis un bout déjà, avoir l'air à son affaire, elle a tendance à oublier qui elle est et même à ne pas le savoir, carrément.

Ce qui compte, dans son moment présent intoxiqué, c'est qu'il y a un méchant beau gars qui chante comme un dieu sur la scène. Son potentiel est aussi grand que le désir obsessionnel de Lili-Love de trouver le père de ses enfants. Elle a le flair, ça pourrait être lui. Très *high*, genre invincible, avec ses cheveux blonds fraîchement teints, elle se donne la mission de le séduire.

L'opération est en cours. Son petit air de *punkette* a attiré l'attention du gars ; il n'arrête pas de la regarder, au point de la faire rougir. La soirée est encore jeune, le coup de minuit vient juste de sonner et elle n'a pas perdu un soulier, les chances de le *frencher* sont donc grandes. Mais le meilleur scénario, c'est de dégotter son numéro de téléphone, parce qu'un beau gars de même, tu couches pas avec lui le premier soir. Pire chose à faire, parce que ça gâcherait tout, et elle le sait.

Elle a un peu appris de ses erreurs. Hypnotisée par sa voix et par son talent, elle passe la nuit avec lui à sa chambre d'hôtel, où ils s'embrassent tout doucement. Et elle tombe en amour, *live*, ce soir-là.

Au matin, ils se retrouvent dans le restaurant de l'hôtel pour déjeuner, et les petits sourires qu'ils échangent font croire à Lili-Love qu'ils vont se revoir. Elle, avec sa *gang* d'acteurs prêts à repartir vers la grande ville, prend son courage à deux mains pour aller lui donner son numéro de téléphone sur une *napkin* tachée de ketchup.

***

Vie de *rock star* et de tournée pour les prochaines années de leur vie commune. La suite de cette histoire, c'est plus qu'une nuit dans une chambre d'hôtel. Lili-Love surmonte ses peurs d'avoir mal, de se faire abandonner et de mourir le temps qu'il faut pour faire place à l'amour dont elle a besoin à ce moment précis de sa jeune vie.

L'affection qu'ils ont l'un pour l'autre est bien réelle, mais la passion pour la fête jusqu'aux petites heures qui unit les deux tourtereaux est aussi ce qui les sépare, les blesse, jusqu'à un point de non-retour. Lili-Love essaie de se convaincre que chaque fois qu'elle dérape, avec ou sans lui, elle n'est pas si *trash* que ça. Elle est intelligente, à la prochaine occasion elle se contrôlera, ce sera différent. Et elle se croit. Elle est toujours armée de très bonnes intentions à chaque sortie, à chaque *party*. Et ensemble, ils vivent d'amour, d'abus et de lendemains de veille pendant quelques années.

Après une cuite monumentale où elle aurait dû rentrer à la maison pour retrouver son homme, Lili-Love a tout gâché en laissant le contrôle à Lili-Destroy. Sa bouteille l'a amenée à le tromper, à faire des ravages irréparables, à le pousser à bout de tout. Le sabotage est inévitable – c'est sa zone de confort –, elle est incapable de laisser-aller, de s'aimer assez pour finir cette relation en beauté. Et elle ne connaît pas le bout du rouleau tant qu'elle ne s'y rend pas.

Au fond, elle n'en peut plus de cette vie effrénée, et lui non plus. Le manque de communication et la consommation sont devenus son échappatoire, sa façon de se déresponsabiliser de ses actes et de ne pas voir la réalité en face. Sa vie est comme un drame de série B.

— Je suis désolée… Je peux plus continuer… Je voulais tellement pas te faire mal.

— Je t'ai juste demandé de revenir à la maison… Juste ça. Mais t'es pas revenue. Tu peux prendre tes affaires. Là, c'est vraiment fini. On aurait dû finir ça y a deux ans.

— J'ai pas couché…

— Je veux rien savoir. Peu importe ce que t'as fait, avec qui t'étais. Je m'en *crisse*. C'est fini.

Lili-Love est en pleurs. Elle réalise l'ampleur de son dégât lorsqu'elle se retrouve les deux pieds dedans. Elle se rend aux toilettes, où elle se met à hyperventiler, démolie par le cauchemar qu'elle a créé de toutes pièces.

Elle a beau avoir quelques peines d'amour derrière la cravate, cette rupture est la plus difficile de toutes, parce qu'elle pensait qu'elle était enfin arrivée quelque part, qu'elle ferait sa vie avec lui. Elle se fait croire que c'est encore une histoire de mauvais *timing*. Mais est-ce que c'est vraiment ça, le problème ? Serait-il possible que ça se passe plutôt entre ses deux oreilles et que l'idée d'avoir toutes sortes d'options, des possibilités de vie, d'hommes, de relations devant elle la fasse triper ? Peut-être. Mais en attendant de trouver la réponse, sa colère et sa peine sont indescriptibles. Elle ne voit pas comment elle pourrait être avec un autre homme un jour et elle s'en veut d'avoir *scrappé* le peu de bonheur qu'elle avait enfin réussi à construire. Elle se sent coupable de tout et s'imagine une destinée de vieille fille. Sa honte d'avoir cru qu'elle pouvait être aimée est immense. Il est parti, lui aussi. Pendant un long moment, elle ne cesse de s'imaginer un retour flamboyant de son amoureux, comme dans les films.

Mais ça n'arrive pas et le vide grandissant de son cœur l'empêche de s'ouvrir à qui que ce soit. Elle coupe les ponts avec la douleur. Elle s'isole pour ne plus consommer, pour tenter de reprendre le dessus après tout ce chaos. Parce que, encore pire que les regrets ou les échecs amoureux, elle réalise peu de temps après la rupture avec *the one and only* qu'elle est enceinte de trop de semaines. Mais de qui ? Il y en a eu, des dérapes et des aventures, depuis la rupture... Elle ne sait pas de qui ça peut être. Tout est flou. Elle veut savoir parce qu'elle se vend l'idée que si le bébé était de son dernier amour, le chanteur, elle pourrait le garder. Ça pourrait le faire revenir. Heureusement, elle retrouve la raison – comme si elle ne l'avait jamais perdue – et se dit qu'avoir un bébé d'un père inconnu dans de telles circonstances, ce n'est pas le plan de sa vie. S'il y a une chose que Lili-Love sait, c'est qu'elle a zéro envie de répéter le même scénario que celui de sa mère ou, pire, sa propre histoire. Copier-coller, non merci. Elle sait à quel point ça *fucke* l'âme, les blessures d'abandon.

Et même si maman Merveille n'est jamais bien loin, et qu'elle tente de la convaincre d'avoir cet enfant, Lili-Love sait, au plus profond de son être, que ce n'est pas son chemin. Que quelque chose de plus grand, de plus magnifique, l'attend, comme une histoire d'amour et un papa merveilleux pour construire sa famille. En plus, la consommation a été démesurée dernièrement, elle doit avorter, car son bébé est déjà trop intoxiqué. Et elle, tout ce qu'elle souhaite malgré la dépression qui s'installe dans son âme, c'est qu'un jour elle puisse être quelqu'un pour quelqu'un.

Forcer ce couple et faire toutes les simagrées du monde pour ravoir son ex la plonge dans la destruction et lui fait perdre toute son estime personnelle. C'est un chemin « bouetteux » qui fait mal, mais au fil de cette relation, de cette cassure, elle comprend qu'il est préférable de laisser partir les gens qu'on aime même si ça fait mal à vouloir en mourir. C'est égoïste de tenter de les retenir ou de vouloir forcer quelque chose qui n'a plus sa raison d'être. Malgré les malgré, un brin de conscience se taille une place en elle. Elle ne sait pas encore que ça deviendra ses sagesses d'une fille perdue.

Ouvrir son cœur au chanteur, c'est quand même un des plus beaux cadeaux qu'elle s'est offerts. Parce que, avec lui, même si elle a été plongée dans un épais brouillard parfois toxique, qu'elle s'est oubliée en tentant de jouer la sauveuse, faute de ne pas être sauvée… elle a commencé à comprendre qu'elle seule peut se porter secours et que, le respect, ça commence par soi.

Carnet de fuite – Lui

C'est vraiment cool de pouvoir le revoir, lui, mais je sais que c'est malsain, même toxique. Je bois toujours plus après l'avoir vu parce que je veux oublier le fait que je ne le reverrai pas avant un moment. Ce n'est pas moi qui ai le gros bout du bâton et je

bois pour l'oublier. C'est désagréable.
Je veux reprendre le contrôle. Je veux ne plus être obligée de boire de l'alcool ou de fumer de la drogue. Je veux être maître de moi-même. Je veux ravoir ma vie d'avant et prendre soin de moi, de mon amoureux, et ne plus jamais le tenir pour acquis comme je l'ai fait.
Est-ce qu'on fait la bonne chose, de se revoir? Son cœur, comment va-t-il? Est-ce que c'est parce qu'il se sent seul et ne veut pas l'être tout le temps? Et moi, je dois me fixer des objectifs personnels, je dois passer par-dessus la peine, je dois être forte. Par rapport à lui, mais aussi par rapport à ma consommation. MOINS CONSOMMER. Je dois moins consommer. Ça va finir par me tuer, criss.

Début de ma prise de conscience
C'est « laitte », mon histoire, hein ? Je me concentre sur le « laitte » pour montrer que ça *clashe* avec le fait que, même si je suis supposée être la plus heureuse du monde, y a clairement quelque chose qui cloche. La vérité, c'est que j'ai

fucking mal en dedans et je ne sais pas pourquoi. Je me sens différente, et tout ce que je sais faire, c'est me geler l'émotion, l'engourdir…

Un jour, lendemain de veille d'une soirée croustillante au Diable, le régisseur de *Ramdam* me prend à part. Je me fais chicaner pour une très rare fois dans ma vie. Il me dit que je peux tellement faire mieux et qu'il sait que je suis *hangover*, que je ne peux plus continuer comme ça, surtout pas sur un plateau qui coûte beaucoup de milliers de dollars à faire rouler. Pierre le régisseur, c'est un peu comme un premier petit miracle dans ma vie.

Le régisseur de *Ramdam* me prend à part et me dit que je peux tellement faire mieux et qu'il sait que je suis *hangover*.

L'après-*Ramdam*

On est en 2009, j'ai vingt-quatre ans, *Ramdam* se termine, je travaille comme vendeuse au Château sur Saint-Denis. Je suis encore et toujours en peine d'amour. Je suis très triste. Je me donne donc le droit de boire. Mais mon médecin de famille pointe pour la première fois ma consommation excessive d'alcool et me recommande de faire une thérapie. C'est gratis. Comme l'alcool gratis dans les *wrap partys*. J'adore la gratuité, alors je me dis pourquoi pas, ça ne peut pas me faire de tort. À chaque rencontre, je suis *hangover*. J'aime ma misère, ça n'a aucun sens. Je l'aime tellement que je me trouve des raisons pour être encore plus misérable tout le temps. Pour être honnête, je ne me souviens plus de ce qui s'est passé dans cette thérapie-là ou dans ces années-là tout court.

Je me mets à triper voyage et je pars souvent, pensant que m'enfuir va régler tous mes soucis. Je me cherche, mais je n'arrive pas à trouver ce qui manque ou ce qui cloche. Je me plonge dans l'écriture et je me trouve de nouvelles passions tous les deux jours pour tenter d'échapper à ma réalité. Je continue à ce train-là et plusieurs années passent sans que je les voie passer*.

Je suis encore et toujours en peine d'amour. Je suis très triste. Je me donne donc le droit de boire.

SAGESSE D'UNE FILLE PERDUE

La compassion vs le coup de masse sur la tête

Que je me suis tapé dessus souvent ! Trop souvent. Autant quand j'ai commencé à

* « Récit d'une vie de *party* », *Urbania*, 27 février 2017.

me rétablir que lorsque je consommais. Et même aujourd'hui, ça m'arrive encore. Pourquoi les êtres humains sont-ils aussi durs envers eux-mêmes ? Qu'est-ce que ça leur apporte ?

Personne n'aime se faire dire qu'il a merdé. Moi la première. Mon ego est tellement gros que ça me donne des sueurs froides juste d'y penser. Je veux être parfaite. Mais la perfection ne peut-elle pas juste ressembler à ce que je veux ? Parce que si je décide que je me trouve parfaite, ben *guess what*, je suis parfaite. On peut m'obstiner et me dire que la perfection n'existe pas, moi je dis que la perfection, c'est être capable de se voir unique et merveilleux, comme un miracle à nos propres yeux. Mais encore faut-il vouloir les ouvrir pour voir la beauté qui se cache à l'intérieur de nous. Pendant longtemps, j'ai été incapable de voir le beau qui m'habitait et je m'obstinais à laisser les idées noires me guider, me torturer. De l'extérieur, j'avais l'air d'avoir mes *shit together*, du moins, c'est ce que je me faisais croire. Mais ceux qui me connaissaient de façon plus intime pouvaient voir mes défaillances, ma souffrance. Et pour cette raison, j'étais pas proche de grand monde. J'espérais un jour pouvoir l'être avec quelqu'un, mais j'avais aucune idée comment faire, je savais même pas c'était quoi, le sens réel du mot « intimité ».

Et je crois pas qu'on puisse être vraiment intime avec un autre humain sans amour. J'ai souvent entendu : « Y a juste l'amour qui guérit. » Plus jeune, je trouvais cette phrase tellement quétaine. Probablement parce que je la comprenais pas. L'amour qui guérit... L'amour, c'est comme le pardon, parce que, quand tu aimes, tu pardonnes, et quand tu pardonnes, tu guéris. Pourquoi rester accroché aux grandes blessures du passé, alors ? Oui, c'est important de les vivre, de voir d'où elles viennent, de les comprendre et même de les analyser s'il le faut. Mais l'essentiel, pour moi, c'est d'apprendre à les aimer et à les chérir. Rester accrochée à elles comme si ma vie en dépendait, non. Je l'ai trop fait, j'ai perdu trop de temps à ruminer. Je m'identifiais à elles, je me sentais en vie parce que j'avais mal, parce que je me faisais mal, carrément. La vie est pas obligée d'être pénible. Oui, c'est normal que ce soit pas toujours un long fleuve tranquille, mais on peut faire en sorte qu'il y ait des accalmies, des moments de détente, de douceur, de bien-être. Ça fait du bien le calme, ça fait du bien de prendre soin de soi et ça fait du bien d'accepter que la vie soit ainsi, parfaite dans toute son imperfection. Tout comme moi. Ça doit être ça, la compassion. Comme le disait Pierre Falardeau, « la liberté n'est pas une marque de yogourt ». Moi, je remplace liberté par compassion. Mais bon, si c'en était une, faudrait surtout pas que j'oublie de l'acheter. C'est un mot rempli d'amour. De paix. Quand je ressens de la compassion, je suis en paix. Le coup de masse sur la tête ne m'est plus nécessaire et chercher le trouble pour faire sacrer le camp à ma paix intérieure devenue si précieuse ces dernières années non plus.

Lili-Love n'arrive pas à se remettre de sa rupture et de son avortement.

Elle s'enfonce de plus en plus. Elle s'isole dans son petit trois et demi, laissant les pensées destructrices de Lili-Dee prendre possession de tout. Elle doit arrêter de boire, mais être confrontée à des humains sans pouvoir s'accrocher à un verre est impensable. Elle a peur d'être jugée, montrée du doigt ou de se sentir inadéquate dans sa propre vie. Mieux vaut se cacher. Du moins pour un certain temps.

Elle réussit à voir son médecin de famille le lendemain d'une veille qui déchire l'âme, après avoir bu la peine de toute l'humanité. Lili-Destroy a besoin de tout son petit *change* pour lui raconter les derniers mois. Sa fierté n'est pas invitée au rendez-vous. Et aussitôt, la docteure qui la suit depuis sa première ordonnance de pilules contraceptives, qu'elle oublie de prendre assidûment depuis belle lurette, lui fait remarquer que ses excès d'alcool semblent problématiques. Elle ne la traite pas d'alcoolique : ce serait sans doute la pire chose à faire, mais elle lui souligne que rien n'avance pour elle depuis quelques années, qu'elle répète souvent la même histoire, le même scénario. Autant Lili-Love vit dans le déni depuis le début de sa consommation, autant elle semble être prête à écouter une personne de confiance.

Elle sort du bureau avec une ordonnance : thérapie externe d'une durée de six mois avec une psychoéducatrice d'un centre d'intervention en dépendance. Le désir de se reprendre en main dure trois mois, une séance d'une heure par semaine, où elle arrive souvent amochée de la veille, en piteux état. Ça commence à faire un bout qu'elle perdure, sa peine d'amour.

Pour changer le mal de place, pour éviter d'aller voir ce qui se passe à l'intérieur d'elle-même, Lili-Destroy se rabat sur un vieil ami, le genre de gars avec qui elle aurait aimé être à une certaine époque, mais qui a fini par devenir un plan cul qui ne fait que la satisfaire dans les moments de désespoir affectif. Ils s'enfilent des quantités impressionnantes de vin *cheap* de dépanneur, ils baisent et, chaque lendemain, la douleur de son sexe lui rappelle qu'elle doit cesser de boire, définitivement. En plus, ce n'est pas lui, son homme. Elle le sait.

La preuve, une voyante de Parc-Extension lui dit d'arrêter de s'intoxiquer et de perdre son temps à baiser à gauche et à droite parce que ça l'empêche d'avancer dans la bonne direction.

— T'es pas fatiguée, Lili ?

— Fatiguée parce que j'ai dormi quatre heures, oui.

— Tu es d'accord pour dire qu'une boussole indique toujours le nord ?

— Oui… pis j'ai l'impression qu'elle va toujours indiquer le nord parce que je suis complètement perdue.

— Ça, y a pas de doute, mais au-delà de ça… Être perdue, c'est normal, surtout à ton âge. Mais tu cherches trop loin. Les réponses sont tout près. Et j'aperçois un bel homme dans les cartes. Vous vous croisez, mais vous ne vous voyez pas encore. Mais tu le connais déjà. Il est plus âgé que toi…

— C'est-tu mon ex?

— D'habitude, quand c'est un ex, c'est pour une raison, non?

Lili-Love esquisse un sourire, comme si elle venait de comprendre qu'il est temps qu'elle décroche. La voyante lui lance ensuite une affirmation qui fait son effet.

— Tu dois jamais arrêter d'écrire, toi. C'est très important, la création.

— Hein? Ça fait un bout que j'ai pas pris le temps de le faire. J'avais plus le goût de rien. Blasée de la vie, de toute. C'est peut-être le changement de saison qui me rentre dedans.

— C'est correct de faire une pause, mais les cartes me disent que les mots vont t'aider dans les périodes plus difficiles. Et chaque fois que tu vas te sentir fragile, il faut que tu écrives.

— Mais là, fragile... Je suis pas fragile.

— Non? Ça voudrait dire quoi?

— Aucune idée, mais j'ai pas l'impression que je suis une personne fragile, je me débrouille bien... même si des fois on dirait que je sais même pas qui je suis.

— Tu vas le découvrir. Il faut juste que tu apprennes à faire confiance à la vie, à toi... aux gens. Pis tu sais, les hommes sont pas tous pareils.

Lili-Love fixe les cartes un moment. Comme si elle avait besoin d'entendre ces mots, elle en prend une qui représente un soleil et, dans son regard, une lueur jaillit. Elle a désormais la conviction que son prince existe vraiment. Quelque part sur cette planète.

Ils ne se voient pas, sans doute parce que l'amour rend aveugle, mais Lili-Love verra bientôt. Pas seulement parce qu'elle est due pour de nouvelles lunettes. Parce que, être sobre, c'est un souhait qu'elle caresse inconsciemment depuis qu'elle a entamé sa destruction. Elle a beau s'intoxiquer, tout faire pour s'anesthésier et s'automédicamenter, sa conscience ou ses petits anges lui envoient des signaux, des indices que quelque chose doit changer. Et remettre tout ce casse-tête en place, c'est le plus grand défi de sa vie pour avoir les idées claires.

Ça doit ressembler à ça, l'espoir.

SAGESSE D'UNE FILLE PERDUE

Les peurs vs la réalité

C'est indéniable, même si j'ai beaucoup bu pour atténuer mes peurs, elles m'ont fait avancer. J'ai été *drivée* par elles toute ma vie, jamais complètement paralysée. Parfois, je me dis qu'elles auraient dû me freiner, mais c'était comme un moteur, un genre de carburant hyperpuissant qui m'a permis d'accomplir des choses. Mais la réalité, c'est que vivre dans la peur, ça fait son temps.

Avant d'arrêter de boire, j'avais l'impression que j'étais constamment brûlée, tout le temps en train d'essayer de contrôler ma vie, de régler un problème et de naviguer dans mes tourments. D'autant plus que j'avais toujours la crainte d'avoir fait des niaiseries, d'avoir dit quelque chose que je ne devais pas dire, d'avoir conduit en état d'ébriété sans trop savoir comment je m'étais rendue à destination, en espérant ne pas avoir fait trop de dommages. Être conditionnée à la peur, c'était le piège de ma vie, un piège bien réel. J'angoissais sur tout et je ne savais pas quoi faire pour y remédier. J'ai tellement prié pour ne plus avoir peur.

C'était mon rêve ultime de ne plus rien craindre, mais était-ce vraiment possible ? La volonté de ne plus avoir peur, c'était d'accepter que je pourrais enfin vivre loin de mes démons. Mais ça, c'était l'optique effrayante. Alors qu'en réalité ça revenait à dire que j'avais peur de ne plus avoir peur, comme si j'avais besoin d'eux pour me sentir en vie. Ça reste un mystère, mais il n'y a pas de doute, nous avons tous des démons, et il faut savoir quoi faire avec et surtout ne pas les laisser prendre toute la place. C'est tellement facile de se faire démolir par des pensées destructrices, de permettre à la noirceur d'envahir le peu de lumière qu'on a réussi à faire briller au fond de son cœur. Cultiver la gratitude, ça éloigne la peur, ça ancre dans la réalité. Il n'y a rien de plus vrai que le fait d'être en vie. N'est-ce pas assez pour vouloir arrêter de tout saboter ? La vie. Simplement respirer. Profondément.

Je dis souvent que l'alcoolisme est comme une espèce de tache noire qui recouvre mon cœur. Si je ne suis pas vigilante et que je laisse cette tache prendre de l'expansion, elle peut rapidement envahir tout l'espace de mon être et faire en sorte que je ne voie plus aucun espoir. Le pire, pour un humain, c'est de vivre dans cette peur constante. Cela dit, elle est l'indicatrice d'un chemin à emprunter ou d'une voie à éviter, c'est le signe qu'il me faut pour m'arrêter et prendre le temps de regarder à l'intérieur de moi ce qui se passe vraiment. Cette peur peut être positive, ce n'est qu'une question de perception.

Il y a tellement d'émotions qui m'habitent. C'est dur de les identifier, de les dire, de les décrire, encore aujourd'hui. Souvent, je me demande : et si le sentiment d'accomplissement suprême, pour chacun d'entre nous, était de faire entendre nos voix ou même nos cris, parfois ? Ne plus craindre de me dévoiler, parce que dire ce qui se passe en dedans, c'est me porter secours, c'est me choisir au quotidien. Et j'en suis responsable. Personne ne va le faire à ma place. La peur, l'angoisse et l'anxiété sont accessibles, elles nous attendent à bras ouverts, elles désirent s'incruster dans nos pensées alors que l'amour, la paix, la sérénité demandent l'effort de lâcher prise sur le négatif… de laisser le « laitte » là où il doit être, caché ou enfoui, mais sans jouer à l'autruche. Le « laitte », c'est fini. J'ai envie de beauté dans ma réalité. C'est un choix. C'est la vie. C'est ma vie, je peux en faire ce que je veux. Toi aussi.

À l'est

« Tout au long de la vie, il faut apprendre à vivre. »

Sénèque

C'est encore l'hiver dans son cœur de fugueuse, alors Lili-Love décide de se payer l'été d'avance. Cette fois, c'est un *trip back-pack* en Asie du Sud-Est. Elle est convaincue qu'elle a pas besoin de ça, elle, une thérapie externe gratuite, la Thaïlande va réparer ses pots cassés. *Fuck off* la thérapie recommandée par le médecin. L'option facile, c'est toujours les *fuck off*. C'est pendant cette fuite qu'elle se convainc qu'elle peut contrôler sa consommation et que ses émotions, elle va bien finir par les gérer. C'est l'heure de penser à rien, de réaliser ses nombreux rêves de *gypsy*, et le reste, elle s'en fout.

Il fait chaud, il fait beau, c'est le pays du sourire, ça devrait donc bien aller, qu'elle se dit.

C'est le meilleur endroit pour une Lili-Love en quête spirituelle, toujours à la recherche de réponses, de solutions miracles et d'amours instantanées. Pour la énième fois, elle tente la sobriété. Sous des déguisements de voyage extraordinaire, Lili-Love part à l'aventure, seule comme une grande fille, mais cachant au fond de son cœur une grande tristesse, une solitude qui la ronge.

Les aéroports, elle les adore. Chaque fois qu'elle s'y trouve, elle s'imagine qu'elle peut rencontrer l'homme de ses rêves, le plus merveilleux de tous les humains, qui la sauvera de ses tourments et qui lui donnera envie de rester en place une fois pour toutes. S'ancrer, pour de vrai. Ou peut-être un pilote qui pourrait l'emmener autour du monde. Oh que oui, ce tour serait le paradis ultime!

N'importe qui aimerait pouvoir s'offrir ce genre d'escapade au moins une fois. Le fait qu'elle puisse le faire est sans doute la preuve qu'elle réussit au jeu de la vie. Elle est bien au courant que s'enfuir à l'autre bout du monde n'est pas la solution pour accepter sa réalité. Cette fois, elle veut croire que les raisons de son départ sont valables et que c'est même souhaitable qu'elle quitte le pays pour aller réparer son cœur brisé et faire le deuil de son bébé avorté.

Les éléphants, les randonnées dans la jungle, les massages thaïs, la plage, les îles… Et les *full moon parties*… Oups. C'est vrai, en voyage, elle n'est pas à l'abri des fêtes ni des occasions de rencontrer l'âme sœur, même si elle est certaine de l'avoir trouvé avant de partir de Montréal. Un autre *dude* pas trop dispo, mais contrairement à sa tendance à s'amouracher d'alcooliques à problèmes, celui-là est sobre. Lui, il ne le sait pas, mais il a fait une gaffe : baiser Lili-Love trois fois en ligne avant son départ. Elle l'a presque fait à jeun en plus, elle avait seulement fumé un petit joint avant de s'abandonner à l'acte, ce qui est moins pire qu'une brosse… Un pas vers le bien-être, qu'elle se dit. Et juste comme ça, sans crier gare, l'obsession de cet humain l'envahit au point de ne pas pouvoir profiter beaucoup de la beauté des contrées lointaines lors de ce voyage de ressourcement. Toutes ses pensées sont dirigées vers cette seule personne après trois baises. Comme quoi l'illusion de l'amour peut arriver à tout moment et réveiller l'*addict* en elle.

Et comme Lili-Love aime se faire croire qu'elle est intègre et remplie d'intentions très sincères, ce voyage doit tout de même remplir son mandat : il faut qu'elle arrête de consommer toutes substances, incluant la cigarette, et ce, pour sa durée totale, soit huit semaines, tout en mettant une croix sur les hommes qui pourraient croiser sa route. AUCUN rapprochement permis. De toute façon, sans alcool, elle se doute que ce sera pas aussi facile de *cruiser*, encore moins de se déshabiller. Et une fois de plus, c'est Lili-Destroy qui repart, dans l'extrême des sevrages de toutes ses dépendances.

***

C'est le soir du 31 décembre. Loin de sa maman Merveille, Lili-Love déprime un peu. Autant elle décide de se pousser de l'hiver à presque tous les temps des fêtes de sa vie, autant elle se sent complètement seule et abandonnée. Les grandes contradictions des Lili.

Lili-Love fait la connaissance de deux autres Lili de l'Italie dans un autobus bondé, entre le Laos et le Cambodge. Elles décident de voyager ensemble dès leur rencontre, c'est un coup de cœur réciproque. Comment faire autrement ? Les Lili, en général, ont toutes ce petit je-ne-sais-quoi ! Lili-Love, Lily II et Lili III sont comme les trois mousquetaires, prêtes à conquérir l'Asie !

Arrivées à Siem Reap, au Cambodge, pour passer la veille du jour l'An, les filles, qui ne sont aucunement préparées, ne trouvent pas d'hôtel pour la nuit. Rien à faire, tout est *booké.* Mais le chauffeur de tuk-tuk le plus *cool* en ville qu'elles rencontrent les dirige vers un lieu pittoresque parfait pour défoncer l'année à coups de ce qui leur tombe sous la main.

Et voilà, la promesse de sobriété de Lili-Love prend l'bord parce que c'est le Nouvel

An, t'sais ! C'est la meilleure des raisons pour ne plus se souvenir de la signification du mot « intégrité ». Les trois Lili se mettent belles et sortent dans l'espoir de vivre un moment inoubliable et de faire la fête comme elles ont appris à le faire dans leurs pays respectifs.

— *All we need is love ! La, la, la… All we need is love !*

Elles chantent à l'unisson la chanson des Beatles dans les rues de la grande ville, déjà pompettes.

Les Cambodgiens les dévisagent, mais elles s'en foutent, elles n'ont qu'une vie à vivre et leur but ultime est de décrocher les plus beaux sourires des habitants.

— *Smile people ! All we need is love ! La, la, la !*

Et elles repartent de plus belle en buvant leurs bouteilles d'eau remplies de vodka pure.

Mission accomplie. Les gens sourient. Seconde mission : trouver les meilleurs bars, les plus beaux gars et le plus de *fun* possible pour le soir le plus important de l'année. C'est facile, elles sont sur le radar et voilà que deux Français *sexy* et sympathiques leur font de l'œil. La soirée se dessine à merveille.

Avant le coup de minuit, Lili-Dee et Lili III sont défoncées toutes les deux. Lily II, elle, l'est moins. Elle est un peu plus mature que les deux autres. Lili-Love a *switché* à Lili-Destroy depuis quelques minutes déjà. Elle embrasse un des

Français à pleine bouche et, telle une tigresse hors de contrôle, elle *spotte* le plus beau gars qui passe devant le bar aux fenêtres grandes ouvertes. La rue est bondée de touristes, mais ils s'accrochent du regard et, aussitôt, elle se lance à sa poursuite, laissant là le Français, tout émoustillé. Courir deux lapins à la fois, c'est ce qu'elle fait, pour être certaine de recevoir assez d'amour ce soir-là. Complètement soûle, Lili-Destroy a dépassé sa limite permise depuis longtemps. Depuis son premier verre, elle n'est plus arrêtable. Comme chaque fois, elle se transforme en bête qui veut toujours plus de tout : de plaisir, d'amour, de sexe, d'affection, d'amis, de bières, de drogues. Boire toujours plus jusqu'à ne plus se souvenir de rien, c'est son classique. Et pourtant, elle a dit que ça ne devait pas se passer comme ça, son Nouvel An. Mais une résolution, c'est loin d'être une décision, n'est-ce pas ?

***

Il fait noir, mais un petit faisceau de lumière entre par la fenêtre de la chambre minuscule. Lili-Destroy se réveille en panique, ne sachant pas trop comment elle est revenue à l'hôtel. Ses deux amies sont près d'elle. Fiou ! Mais comment sont-elles rentrées ? En tuk-tuk ? Avec le chauffeur qui les a aidées à se loger à leur arrivée ? À la marche ? À côté de son lit, elle aperçoit sa sacoche, mais pas de portefeuille ni de cellulaire. Perdus, envolés. *Fuck!* le passeport! *Nada*. Plus rien. Son identité, partie en fumée, en une soirée, en même temps que sa dignité, probablement.

Panique totale, elle réveille les filles. Elles sont maganées, mais Lily II beaucoup moins qu'elle.

— *Fuck*, j'ai perdu… *he perdido… shit… I lost my wallet and everything in it.*

— *What, really?* crie Lili III en se levant pour aller vérifier qu'elle a toutes ses choses.

Lily II, la plus responsable des trois, sort de son lit, se rend dans la mini salle de bain et fait pipi, la porte ouverte. Elle ne semble pas stressée du tout.

— J'ai tes affaires. Je les ai récupérées avant que tu ailles avec le deuxième gars.

— Quoi? Quel gars?

— L'Asiatique.

— T'es pas sérieuse? Qu'est-ce que j'ai fait?

— Je sais pas… Tu embrassais le Français et, dès que tu as vu l'Asiatique, on t'a perdue pour un moment. Mais j'ai ramassé tes affaires juste avant.

Lily II lui raconte tous les détails.

— Et vous vous embrassiez avec beaucoup de fougue. C'était pas mal *hot*. Pas ma meilleure nuit, devoir m'occuper de vous deux.

— *Shit*, désolée, Lil. Je sais pas comment j'ai pu boire autant.

— Bien… tu as aussi fumé du *weed* brun avec un autre gars.

— Quoi ? Comment ça se fait que tu te souviennes de tout ça ? J'me souviens de rien. C'est pas le *fun*.

— Je me souviens toujours de tout, lui confirme Lily II, avec un regard de jugement qui dit que ce n'est pas normal.

— Faut vraiment que j'arrête de boire et de fumer en même temps. *Fuck*…

Lili-Destroy rit jaune, en ce matin de déconfiture. Encore une autre soirée sans souvenirs. Le jour de l'An en plus. Elle avait pris tellement de belles résolutions. *Bullshit.* Elle n'a pas pris la décision d'arrêter de se *trasher* la vie… Le désir y est, mais la tentation est trop forte, elle succombe chaque fois et l'obsession la prend dès qu'elle touche son premier verre. L'histoire se répète, même en Asie, 'sti. Et toujours pas d'amour de sa vie, juste bien des soucis.

La suite de son voyage est plus tranquille. Elle se retrouve seule, une fois de plus, pour faire le point. Ce qui est prévu à l'itinéraire depuis son départ, c'est le Vietnam. Les Lili, elles, repartent se la couler douce sur les îles de la Thaïlande.

Difficile de les quitter, mais Lili-Love a un objectif : redevenir sobre jusqu'à son retour à Montréal et rien de moins que comprendre qui elle est. Les au revoir sont tristounets, elles ne veulent pas vraiment se séparer, mais toute bonne chose a une fin. C'est l'heure.

Carnet de fuite – Comprendre – Quelque part en Asie en 2013

J'ai tellement envie de comprendre qui je suis
Comprendre qui nous sommes
À travers un voyage, des rencontres, des
situations qui sortent de l'ordinaire
Comprendre la vie, le bonheur, le bien-être
Quand toutes les sphères vont bien,
à part les relations, l'amour, ça doit
vouloir dire qu'il y a un blocage…
Je suis tannée d'être bloquée, d'être
raide comme une barre de stress
Je ne veux plus l'être
Je veux de l'amour, en donner et en recevoir
Je veux de la beauté et de la simplicité
Le bonheur dans les petites choses de la vie
Je serai ouverte, je serai moi
Je continuerai de voir la vie avec
des yeux d'enfant, d'être émerveillée
par la beauté du monde
Je serai grande et riche de découvertes
Voir la richesse dans les yeux

du monde. Simplement
Ne plus me poser de questions
Avancer sans regarder derrière
Parce que je n'ai plus besoin du
passé pour comprendre qui je suis
J'ai besoin de ma conscience
et de ma confiance
Je veux faire ma chance
Je suis forte et j'avance, je ne recule plus
Je suis le courage.

Carnet de fuite – Chronique du moment n° 3

4000 Islands, Laos
Fait que c'est ça. Je me réveille avec cette impression que rien n'existe à part moi au milieu de ces petites îles à la frontière du Cambodge. Je me dis que le bonheur peut être un peu partout, là, et qu'on décide d'être heureux. L'amour, on répète que c'est important pour être heureux. Mais tout ce que j'entends, c'est les paroles de mon ami :

« Ben voyons donc ! C't'une maladie mentale, l'amour, tu veux pas être atteint d'ça ! » Chaque fois, je ris tellement il a raison. Tomber en amour ? Tomber ? C'est assez clair que ça fesse solide quand ça arrive. Fait que là, tu es célibataire, pis tu vagabondes, pis tu voyages, pis tu profites de toutes les aventures que la vie a à offrir, même si c'est bad, des fois... Et la princesse en toi, comme dans Mario II, elle veut jouer, être prise pour battre le monstre de la fin. Après avoir vaincu le monstre de la peur, le conte de fées peut sans doute commencer. Pis là, si tu es chanceux, tu vas t'élever en amour. Et tout sera rose dans ton monde de princesse...

Le retour en avion est parsemé d'escales. Ça, ça veut dire plein d'aéroports et de possibilités de rencontrer quelqu'un d'extraordinaire. L'âme sœur qu'elle a hâte de revoir à son arrivée à Montréal lui dit par message texte que ça ne fonctionnera pas. Ils ne peuvent pas se revoir parce qu'il préfère ses vieilles pantoufles, soit reprendre sa relation avec son ex. Un classique.

Un autre *dude* qui renforce la croyance de Lili-Destroy que TOUS les hommes veulent juste la baiser et qu'ils sont des TROUS DE CUL. Toujours le même scénario. Il commence à être temps de faire les choses différemment, mais est-elle prête ? Son mal de cœur la fait de plus en plus souffrir, on dirait qu'il n'y a rien qui puisse la soulager. Pas même un foutu voyage en Asie.

La solution ? Pourquoi ne pas retourner vivre chez maman et tenter de se reprendre en main pour la énième fois, faire un peu d'argent pour repartir vers de nouvelles aventures ? Mais quelle sera sa prochaine destination ? Elle ne sait pas, mais Toronto l'appelle depuis longtemps, il semble que ce soit une belle ville canadienne où elle pourrait perfectionner son anglais, suivre une formation comme actrice et, ensuite, concrétiser ses rêves de grandeur.

Why not, peanut ? Rien à perdre, tout à gagner. Elle n'a pas d'attaches et elle est persuadée que Montréal est toxique. Toutes ses dérapes, c'est à cause de la ville. Pas à cause d'elle. Le cœur fendu en deux, elle se dit que ce sera peut-être un peu mieux chez les Anglos. Qui sait ? Personne ! Mais elle doit l'essayer. Et ce n'est pas un rêve sorti de nulle part, jouer en anglais la *drive* toujours autant, c'est au moins une bonne nouvelle, ça veut dire deux choses : elle n'est pas dépressive ni complètement déchue.

Et comme par magie, une autre occasion de fuite déguisée se présente à elle. Lili-Love tente sa chance pour aller étudier au Canadian Film Centre, une super formation pour les acteurs professionnels qui souhaitent percer le marché canadien et américain. Malgré toutes ses années de débauche, elle affiche un C.V. qui a tout de même évolué et elle est reconnue par ses pairs dans une industrie qu'on qualifie souvent de difficile à percer. Et vlan ! C'est parti ! Elle leur soumet une démo de son travail ainsi qu'une audition sur vidéo, et elle est officiellement sélectionnée parmi deux cent cinquante personnes pour participer au Professional Actors Lab pendant six mois, puis se voit octroyer une bourse de la Fondation Brian Linehan pour apprendre son métier... en anglais ! Un beau rêve qui se matérialise ; elle se croit sur le point de toucher la gloire, le bonheur, elle le sent dans ses tripes. Un genre de succès qui l'apaise pendant un instant. C'est quand même juste dix personnes choisies dans tout le Canada, y a de quoi être fière. Tout ce qu'elle souhaite, c'est perdre son accent francophone et devenir une Lili-Love à l'accent américain. Mais son cœur, il est montréalais, québécois, francophone et un peu latino sur les bords. Même si elle veut renier cette partie, il ne pourra jamais être autre chose que ce qu'il est.

Elle se défait de tout, de sa voiture en premier, parce que sa manie de conduire en état d'ébriété ne va pas en s'améliorant. Dans une grande ville qu'elle ne connaît pas, ce ne serait pas super sage de récidiver. Sachant qu'elle est bien capable de le faire, elle décide de ne pas prendre de risque, elle s'achète un vieux vélo pas cher, pas fiable. Brillante idée. Et enfin, elle se trouve une petite maison, dont elle loue une chambre au sous-sol. Un paradis avec une coloc, près de Upper Beaches.

***

De l'extérieur, tout a l'air beau. Lili-Love fait ce qu'elle a à faire. Genre tellement que c'est impossible de penser qu'elle puisse avoir un problème ou qu'elle puisse souffrir d'une quelconque manière. Elle réussit même à se faire des amis dans sa cohorte. Du bon monde, tous des Anglos qui rêvent de faire une carrière internationale, qui sont prêts à tout pour le *fame*. La compétition est forte dans ce milieu, mais Lili-Love n'est pas trop là-dedans, bizarrement. Elle souhaite sincèrement que les gens réussissent, que le succès ne soit pas seulement pour une certaine élite.

Les maux de tête sont nombreux au début de son immersion. Tout traduire mot à mot et faire le *switch* de penser comme une anglophone est tout sauf évident. Mais elle veut tellement que, chaque soir, elle met les efforts nécessaires pour peaufiner son accent. Une brute, une acharnée, une ambitieuse comme il s'en fait rarement. Est-ce que c'est ça, le bonheur ? Ça pourrait ressembler au paradis, mais y a encore de quoi qui cloche, c'est pas descriptible. Elle est loin, elle est isolée, et tout ce qu'elle fait, c'est travailler… trop, comme pour oublier, pour ne pas ressentir ce qui l'habite. Elle fait son jogging trois fois par semaine en écoutant The xx, elle mange bien et fait tout ce qu'elle peut pour se convaincre qu'elle *fitte* dans le moule, que tout est sous contrôle. Mais Lili-Destroy sait qu'au fond, même si les apparences chuchotent que tout est beau, ça ressemble encore beaucoup à de la fuite. D'ailleurs, la petite voix de Lili-Love lui souffle à l'oreille que remplir son vide intérieur avec des facteurs extérieurs, c'est pas une vraie solution. Mais elle n'entend qu'un murmure.

***

C'est l'Halloween, Lili-Destroy est partie pour une nuit de remords. À coups de vodka canneberge, de joints et de speed, elle se donne comme s'il n'y avait pas de lendemain. Personne ne la connaît vraiment, à Toronto, alors c'est moins gênant. Déguisée en cadavre de Grace

Kelly, elle se permet une dérape qui peut avoir l'air... occasionnelle, disons. Même si elle s'est promis d'être sage pendant son immersion, c'est plus fort qu'elle, l'Halloween, c'est sacré.

Cette vieille fête commerciale lui rappelle chaque fois qu'elle aimerait être quelqu'un d'autre.

Et un autre *party trash* qui ne devait pas se terminer ainsi ! Avec Lili-Dee, on commence à le savoir, c'est jamais supposé se passer ainsi. Le plan, c'est rarement le *blackout*, mais une fois de plus, c'est ce qui arrive.

Complètement défoncée, Lili-Destroy n'a pas trouvé d'âme charitable chez qui *crasher* sur le divan. Le *dude* qu'elle a *frenché* toute la soirée au bar miteux où avait lieu le *party* costumé a finalement disparu. Elle n'a pas son numéro. Quel dommage ! Et là, elle doit retourner à la maison, en haut de la côte... à vélo. Beau plan de marde.

BLACKOUT.

Elle fonce dans plusieurs murs de maison et tombe à quelques reprises sur le trottoir.

C'est dangereux et triste à voir. Il est tard. Y a pas âme qui vive dans les rues. Elle passe incognito, mal dans sa peau dans cette ville cosmopolite. Lili-Destroy finit par trouver son chemin et rejoint les bras de Morphée.

Le réveil est pénible. Surprise ! Elle remarque des bleus immenses sur ses petites jambes musclées de cycliste. Elle est courbaturée comme si elle avait couru un marathon. Ouille, ça fait mal. Comment a-t-elle bien pu se retrouver dans cet état? Elle regarde dans son cellulaire, où elle découvre quelques *selfies* avec des gens de sa cohorte, tous aussi intoxiqués qu'elle. Oups, une image la montre en train d'embrasser une inconnue à pleine bouche. Photo de... peut-être mieux de pas en parler. Elle efface tout.

De retour dans la zone de sabotage – ça devient sa marque de commerce et elle le sait –, elle est de plus en plus consciente de sa destruction, mais elle n'a aucune idée de ce qu'elle peut faire pour l'arrêter. Sa quête de bonheur l'obsède, mais apprendre à s'aimer reste une tâche complexe. T'sais, avoir de l'amour pour soi quand c'est la honte qui prend toute la place les trois quarts du temps, c'est pas la recette miracle. Elle a encore beaucoup de travail personnel à faire et elle ne réalise toujours pas que ce n'est pas en apprenant des textes et en perfectionnant un accent que son amour-propre va se manifester. Mais comme pour n'importe qui, avoir un sentiment d'accomplissement, ça *booste* l'estime et l'ego. Ça réconforte, le temps qu'il faut. Et le *trip* à Toronto, il sert à ça.

Jusqu'à la prochaine fuite.

Carnet de fuite – Le cerveau à *off* vs le cœur à *on* – Janvier 2015

Ton cerveau va te tuer. Mets-le à off. Il te fait penser à trop d'affaires stupides et il te fait aller n'importe où sauf ici, maintenant. Ton cerveau te rend malade et le fera toujours si t'arrêtes pas de trop penser. La vie est trop courte, man. Mets ton cœur à on. Tous les jours. C'est la seule chose qui soit réelle parce que ce qu'il ressent, ça peut juste être vrai. Ton cœur devrait pas trop connecter avec ta tête. Si c'est ça qui arrive, c'est soit qu'il y a quelque chose qui cloche ou tu es pas à la bonne place. C'est simple, si c'est l'cas, tu es mieux de te trouver un petit spot au chaud pour garder ton cœur bien en marche, à on. Le fucking cerveau à off, alors peut être que tu peux vivre vieux, une vie d'amour sans toutes ces inquiétudes dont tu n'as pas besoin.

Lili-Love semble confiante et en possession de tous ses moyens, mais elle n'a plus trop de repères. Réarrêter de boire est sans doute la solution, c'était aussi le plan de départ en désertant Montréal. Tentative numéro… Elle ne les compte plus, mais elle essaie. C'est toujours bien ça de pris.

Due pour une petite dose d'amour, elle s'essaie à faire un an sans boire. Allez hop ! Il est temps pour elle de se concentrer sur le positif, sur sa carrière, sur ses projets, sur tout ce que l'avenir a à lui offrir. Elle réussit même à se trouver un agent à Toronto, un homme qui croit en elle même si elle a un léger accent francophone, il lui dit qu'ensemble ils formeront une équipe du tonnerre. Et la bonne nouvelle, c'est qu'il n'y a pas de tension sexuelle, alors c'est un bon match.

Fière d'être représentée au Canada anglais, Lili-Love est persuadée, une fois de plus, que rien ne peut l'arrêter. À elle l'illusion de la gloire et du succès… et qui sait, entêtée comme elle l'est, peut-être qu'elle trouvera le bonheur au bout de tous ses efforts. Elle réussit à se rendre à trois mois de sobriété. Pour la première fois de sa vie, elle réalise à quel point c'est bon d'avoir les idées claires. Un véritable exploit. Mais sans alcool, la vie est plate et le côté social est toujours aussi difficile à apprivoiser.

La soif la reprend lorsqu'elle réalise que le Québec lui manque et qu'elle ne se voit pas vivre dans cette ville froide, seule, loin de maman Merveille et de sa zone de confort.

C'est un peu comme une claque dans la face ou une impression d'échouer, parce que l'illusion d'être bien ailleurs ne dure jamais longtemps pour Lili-Love. Elle n'est pas bien en dedans, alors peu importe où elle se trouve, elle finit toujours par ne plus vouloir y être. N'importe où sauf ici revient sans cesse. Et le facteur extérieur ne soulage jamais vraiment, ça ne remplit rien ; elle est comme un puits sans fond. La vérité est qu'elle a besoin de s'ancrer, elle a envie d'une fondation solide entourée d'amour et de compassion. Terrifiée par cette idée, elle l'apprend à ses dépens.

***

C'est l'automne à nouveau et Lili-Love est abstinente d'alcool depuis bientôt six mois, mais pas de marijuana... Elle est *encore* de retour dans l'est de Montréal chez maman Merveille. Un étranger occupe son appartement, alors sa mère l'accueille à bras ouverts, une fois de plus, pour lui permettre de travailler dans une série, un rôle qu'elle a décroché, en français. C'est ironique de vouloir jouer à tout prix en anglais, mais de n'être appelée que pour des rôles dans des projets francophones. Le tournage de l'émission ne dure pas assez longtemps à son goût, elle n'a pas assez d'épisodes, mais elle essaie de s'en contenter, d'autant plus qu'elle sait qu'il n'y aura pas de possibilités qu'elle revienne puisque son personnage est envoyé en prison pour meurtre.

Il doit y avoir quelque chose à comprendre, mais Lili-Love n'y pense pas trop. Elle veut juste faire de l'argent, être reconnue et avoir plus de rôles. Elle est encore certaine que c'est ça, la recette du bonheur.

Lili-Love, inconsciemment, se prépare une rechute monumentale, une destruction massive des belles joies qu'elle est en train de vivre. Même si elle essaie de se convaincre que son retour chez sa mère va être différent, que ça va l'aider à rester dans le droit chemin, les promesses de son année de sobriété en cours sont déjà envolées. De toute façon, depuis qu'elle s'abstient de boire, elle fume son joint pour compenser, pour se geler l'émotion, l'anxiété et tout ce qui la tracasse au quotidien – c'est pas ce qu'on peut appeler de la sobriété. Ça sent la rechute d'alcool à plein nez, ce n'est qu'une question de temps. Surtout qu'elle se retrouve à Montréal, sa ville natale pleine de vices, à ses yeux.

Mais est-ce que c'est vraiment la ville, le problème ? À force de déserter et de revenir en retombant toujours dans le même *pattern*, Lili-Love commence tranquillement à se rendre compte que ses comportements ne sont pas, disons, l'exemple d'une vie heureuse et saine.

Elle continue donc de se faire croire qu'elle va rester sur la route des saines habitudes de vie et de l'amour-propre. Elle le fait aussi croire à sa maman, accueillante et aimante, qui lui prête sa voiture et fait tout pour elle, comme n'importe quelle maman Merveille le ferait pour sa fille unique.

— Je sens que j'ai mûri, maman. Je me sens plus *groundée*. Pis mon rôle, je suis sûre que ça va m'amener plein d'autres *gigs*, je sens que c'est vraiment parti, là, la carrière.

— Je te le souhaite, ma Lili, je te le souhaite.

— C'est poche que ce soit déjà la fin de ce projet. Mais là, je me suis dit que je boirai pas à soir, pour être certaine de finir ça en beauté, ce contrat-là. Même pas un verre.

— Tu vas rentrer vers quelle heure ?

— *Come on*, maman ! Tu commenceras pas à me traiter comme si j'avais douze ans ! Je sais pas à quelle heure je vais revenir, pis ça se peut que je décide de coucher chez quelqu'un…

— Ah, ok. Tu vas pouvoir me téléphoner ?

— Ben oui, là.

Lili-Love lui répond, agacée de se faire materner rendue à presque trente ans.

Elle sort ensuite du salon pour aller se mettre sur son trente et un dans la salle de bain. Les plans ne sont pas de coucher chez « quelqu'un », mais plutôt de se trouver un mec pour la soirée, une *date* spontanée, genre. Elle ne sait jamais trop comment ses affaires vont virer.

En terminant de se maquiller, devant le miroir, les Lili discutent :

— Tu as l'droit de t'amuser, t'sais. Hé, ça fait *fucking* presque un an que t'as pas bu, c'est ton *wrap party*... Ça se fête, non ? tente de la persuader Lili-Destroy.

— Ouais, c'est clair, mais en même temps je me trouve vraiment bonne, pis au dernier *party* j'ai un peu merdé, j'ai comme envie de leur prouver que je suis pas une *drunk*, affirme Lili-Love.

— T'es capable de pas boire, t'as pas besoin de prouver rien à personne. Pis un verre, c'est tellement pas la fin du monde.

Convaincante, Lili-Destroy fait tout pour encourager Lili-Love à boire.

— Ça fait longtemps que je l'sais que c'est mon premier verre, le problème... Quand j'commence je peux plus m'arrêter, mais *fuck*, on dirait que l'idée de plus boire jamais me tente pas.

— Moi, je pense que tu capotes, Lili-Love. T'es jeune, t'es belle, t'as la vie devant toi, pis y a rien de mal à virer une brosse de temps en temps. Essaye une autre fois, juste un verre.

— Un verre, pis je conduis le char de ma mère pour revenir en sécurité à la maison.

— *Deal.* Je t'encourage. Un verre.

Lili-Love se regarde longuement dans le miroir, elle retouche son mascara. Sans faire exprès, elle se fait une grosse marque noire en dessous des yeux, un aperçu de l'air qu'elle aura demain matin si elle prend « un verre ».

Et c'est parti, Lili-Love est convaincue que cette fois-ci ça va être une tout autre histoire. Incroyables, les salades qu'elle peut se vendre pour se donner le droit de consommer.

Toujours la même histoire…

SAGESSE D'UNE FILLE PERDUE

La vie *vs* la survie

Le plus beau cadeau de la vie, c'est la conscience. Dans mon cas, pendant trop longtemps, elle se résumait souvent à : « C'était pas si pire que ça comme soirée. J'ai réussi à me rendre chez nous saine et sauve, j'ai pas tué personne, on n'a pas mis de capote, mais y m'a dit qu'il était *clean*. Pis y avait du monde ben plus soûl que moi ! » Il faut que jeunesse se passe, qu'on dit, non ? Non. Dans mon cas, j'étais mûre pour arrêter de boire quand j'ai commencé à réaliser l'impact de mes gestes, de ma destruction. Mais bon, il ne faut pas tirer sur une carotte pour qu'elle pousse, y a rien à faire avec une personne qui pense que tout va bien parce qu'elle « fonctionne » en surface. Avance, recule, avance, recule, stagne, n'avance plus du tout, pleure, ne sait pas ce qui cloche, reboit parce que ça fait mal en dedans, arrête de boire parce que ça dépasse les bornes. Ainsi va la vie qui va et la survie qui survit. C'est pas une vie, ça ! Mais quand il fait noir, l'idée de trouver des solutions est pas la première chose qui vient en tête, surtout qu'à chaque tentative pour arrêter de consommer je rechutais, alors la honte me replongeait dans mes dédales de souffrance.

Toujours en mode survie, en mode déni, inconscience confortable d'une vie qui n'évolue jamais.

Mais en vérité, y a jamais personne qui m'a « vraiment » dit : « Hé, tu es alcoolique, fille, arrête de boire et ne recommence jamais. » Certaines personnes voyaient que ça n'allait pas, mais de là à me confronter, c'était une autre histoire. C'est déjà arrivé, des genres de chicanes de carré de sable avec des amis qui me disaient que j'abusais ou que j'avais pas d'allure. Mais bon, je connais peu de gens dans la société qui sont amanchés pour dire ça, de toute façon. Du moins, pas les gens que je fréquentais à l'époque, et qui étaient tout autant en survie que moi.

Je pense que la seule personne qui puisse venir en aide à quelqu'un qui souffre de trouble d'usage d'alcool, de drogue et d'autres comportements abusifs, excessifs, c'est celui qui est passé par le même chemin, par la même souffrance, par le même mode de vie, la même déchéance, et qui s'en est sorti et a choisi de se rétablir. Un alcoolique peut aider un autre alcoolique. Ça, ce n'est pas un mythe. C'est pas pour rien que les Alcooliques Anonymes et leur programme en douze étapes contribuent à rendre la vie meilleure à plus de vingt millions de personnes dans le monde. Encore faut-il vouloir se sortir de son trou noir. Dans mon cas, au point où on est rendus dans ce récit, l'heure n'a pas sonné, je ne suis pas arrivée au bout du tunnel de ma déchéance. J'ai encore du gaz et les AA, je m'imagine que c'est juste pour les alcoolos vraiment finis. Moi, je suis fonctionnelle. J'ai pas tout perdu non plus, alors je dois pouvoir continuer de boire, non ?

Alcool gratos, genre à volonté. Classique *wrap party*. Faut prendre soin de ça, les artistes à l'âme torturée ! Lili-Destroy attend le plus tard possible pour commencer à boire, toujours dans l'espoir de se convaincre qu'elle est saine d'esprit. Dans un bar sombre de la rue Rachel, la soirée est plate en maudit sans quelque chose à siroter. Quelque chose après quoi s'accrocher pour faire passer l'anxiété.

Elle se retrouve dehors avec les fumeurs et allume sa petite aiguille de marijuana. Ça fait quelque temps qu'elle a arrêté la cigarette, sa première drogue de choix, mais son joint, elle en a besoin, surtout depuis qu'elle ne boit plus. Être gelée, c'est moins pire qu'être ben soûle, qu'elle se dit. Mais le résultat est le même, les émotions ne peuvent pas vraiment exister, elles sont réprimées. Tout le temps, depuis toujours.

Vingt et une heures. Premier verre de *vino*. Ça devrait être le seul et unique, selon sa promesse d'alcoolo. Vingt-deux minutes plus tard, le monde a l'air plus *smat* tout d'un coup. Elle fait rire la galerie, pis crime, elle a même le goût de danser. Elle se clenche un deuxième verre. Des *shooters*, me semble que ce serait bon. Vodka *pickle* après vodka *pickle*, au moins, ça lui met de quoi dans l'estomac en même temps, ça va sûrement être un peu moins pire demain. L'envie de *frencher* se présente. Une autre aiguille de mari, rechute de cigarette, discussions qui ne se peuvent pas, plus de vin rouge, ah pis tiens, un petit blanc pour changer le goût dans la bouche.

BLACKOUT.

Aucune idée d'où elle est au réveil. *Fuck*, il est quelle heure ? Elle est flambant nue dans un appart inconnu, le plancher est couvert de vêtements, c'est presque insalubre. Elle touche son sexe, ça ne sent pas la rose. Elle récupère son linge, sa petite sacoche, et sort presque en courant. L'envie de vomir lui fait monter l'eau dans la bouche. Sur le bord d'être malade, elle se rend dehors à temps. Le soleil lui tape dans les yeux, qu'elle a peine à ouvrir. Tête dans le cul, ça fait mal à l'âme. *Criss*, encore.

Elle tente de trouver son char, mais elle ne se rappelle pas où elle s'est stationnée.

Elle arrive au coin de l'avenue du Mont-Royal et de la rue Saint-Hubert. Elle n'est pas trop loin du bar où elle a passé la soirée, alors elle se met à marcher dans cette direction. Elle s'arrête pour régurgiter dans un buisson. Son mascara coule, elle fait peur à voir.

Pourtant, elle s'était promis de prendre juste un verre. Allez, elle se concentre sur sa mission du jour, pas le temps de niaiser, elle doit trouver la voiture de sa mère et se souvenir du *dude* avec qui elle a couché. Elle s'arrête dans un *fast-food* pour se refaire une beauté qui sent le fond de tonne.

Sur son cellulaire, elle reçoit des tonnes de messages texte d'une amie avec qui elle devait *brainstormer* et écrire toute la journée: «T'es où, Lil? On avait pas dit 10 h? J'ai pu de temps, on remet ça, mais appelle-moi, je m'inquiète. Love you. xx»

Fuck, encore une autre affaire à régler.

À genoux dans la vieille toilette du resto, Lili-Destroy s'effondre, incapable de relâcher ses émotions. Elle les vomit, à la place. Les yeux pleins d'eau et les veines qui lui pètent dans le visage n'ont rien de réconfortant, elle a tellement mal, son corps, tout fait mal.

Devant le miroir, elle se regarde longuement, boit de l'eau du robinet pour se rincer la bouche. Elle fixe son cellulaire, hésitant entre appeler maman Merveille ou Marie, cette amie de longue date qui vient de la texter. Elle, c'est la fille la plus *sweet* et la plus aimante de son cercle, pas une de ses *chums* de brosse.

— J'ai merdé, encore… Je sais pas ce que j'ai…

En pleurs, Lili-Dee est incapable de retenir le motton dans sa gorge.

— Lil, qu'est-ce qui a? T'es où, là?

— Scuse-moi d'avoir *choké*, je suis dans les toilettes d'un resto, je file pas pantoute…

— T'as trop bu, hier?

— *Fucking* marde, je m'étais juré de pas boire.

— Tu dis tout le temps ça, Lil… Tu penses pas qu'il est vraiment temps que… Tu penses pas que t'es peut-être… euh…

— Peut-être quoi ?

Lili-Destroy hésite avant de dire le mot qu'elle redoute.

— Alcoolo ?

— Ben, je sais pas... Je veux pas te faire de peine, mais c'est pas la première fois que je t'entends me dire que ça vire mal, tes affaires. Toutes les brosses, tes histoires...

— Je l'sais, Marie, je suis pus capable... J'ai juste le goût de *crisser* mon camp ben loin, pis plus jamais revenir.

— Je comprends... Mais ça va régler quoi de partir ? Ça fait dix ans que je te connais, ça fait dix ans que tu fuis quand ça marche pas à ta manière.

— Quand je suis ailleurs, j'ai moins besoin de boire, on dirait... je peux être plus moi-même.

— Mais il faut que tu apprennes à être bien avec toi-même chez toi, non ?

— Je sais ben, mais *criss*, je sais pas comment faire, je sais pas comment vivre, on dirait. Je suis comme attardée de l'émotion, des relations, de toute...

— Déjà, être capable de me dire ça, c'est un gros morceau, non ?

— Oui... ça fait du bien. J'ai dû avoir l'air d'une *criss* de folle, hier... Tout ce que je me rappelle, c'est que j'ai fumé un *bat*, pis après, un petit boutte sur la piste de danse. Après... *blackout* de marde, anxiété de fou à matin, encore et toujours la même maudite histoire.

— Ça va aller, Lil. Je suis là, moi, je vais toujours être là, pis on va trouver des solutions. T'étais bien partie. Tu peux recommencer à ne pas boire…

— L'idée de plus boire jamais me fait tellement peur… Je sais même pas si je pourrais baiser. Je pense que j'ai juste baisé à jeun trois fois dans ma vie, pis c'était des lendemains de veille avec mon ex, genre.

— Le sexe à jeun, c'est fou, Lil. Je te jure que tu vas *triper*. Tu vas tout sentir…

— Je sais pas, la dernière affaire que j'ai envie de faire en ce moment, c'est ben de baiser…

— Tu t'es pogné quelqu'un, hier ?

Lili-Destroy est mal à l'aise, elle ne veut pas répondre, parce que la honte la tiraille par en dedans. Petit mensonge blanc pour sauver la face.

— J'ai juste *frenché*. Mais c'est flou.

Lili-Destroy raccroche, le cœur à l'envers. Elle n'a pas d'autre choix que de retourner à sa mission : trouver l'auto. Et, surprise, à son arrivée, elle aperçoit une jolie contravention de 139 dollars pour non-respect de l'interdiction. Les règles, c'est pas pour elle. Mais vraiment, une belle journée en perspective. Elle s'assoit dans le vieux bazou de sa mère et éclate en sanglots. Elle regarde dans le rétroviseur et voit le bar où elle a passé la veillée.

Les yeux fermés, elle s'imagine au volant de son bolide, frapper de plein fouet un mur de béton. *Flash* de mort qui revient sans cesse. Lili-Destroy n'est pas voyante, mais s'il y a une prédiction qu'elle peut faire, c'est bien celle de périr dans un accident d'auto un soir où elle conduirait en état d'ébriété.

Plus rien. Le néant. Le vide. La vie qui s'arrête à tout jamais. Maintenant. Fantasme de lendemain de veille quand son âme lui rappelle qu'elle existe, qu'elle a besoin de prendre soin d'elle. La mort ou l'enfer, ça doit ressembler à ça.

Sauf qu'elle est vivante. Un choix s'impose. Elle peut décider de changer le cours de son destin. C'est peut-être ça, la croisée des chemins.

À l'ouest

« Quand vous trouvez votre chemin,
vous ne devez pas avoir peur.
Vous devez avoir suffisamment de courage
pour faire des erreurs.
La déception, la défaite et le désespoir
sont les outils que Dieu utilise pour
nous montrer le chemin. »

Paulo Coelho

C'est toujours le maudit hiver dans son cœur, il fait frette comme c'est pas permis à Montréal, alors Lili-Love décide de partir sur la côte ouest pour que ce soit l'été en tout temps, pour ne pas sentir le froid sur sa peau, pour rien sentir tout court, *forever*. Lili-Love est en train de réaliser son désir le plus fou : *the american dream*, celui de devenir une grande actrice internationale qui joue dans d'excellents films, dans de bonnes séries prisées dans tous les festivals comme celles de Jean-Marc Vallée. Elle est obsédée par le travail de cet homme mystérieux qui s'est rendu au plus haut sommet de la gloire, selon elle, les Oscars. C'est pas rien. On doit être quelqu'un d'heureux quand on arrive là.

Le problème de Lili-Love, ce n'est pas tellement qu'elle se voit aux Oscars pour avoir relevé le défi d'une performance grandiose dans un projet de Jean-Marc Vallée. Les ambitions, c'est important pour elle. C'est même essentiel, c'est ce qui garde son cœur en vie et lui donne envie de continuer même quand elle est sur le point de tout abandonner parce que tout est chaos. Chaque petit pas qui la fait avancer lui permet de se rendre un peu plus loin, un peu plus près de sa destinée. Le hic, c'est que Lili-Love n'est pas dans la réalité, elle est dans une espèce de monde parallèle qui lui fait croire des choses. L'illusion du bonheur dans un avenir rapproché. L'illusion qu'elle sera heureuse lorsqu'elle sera accomplie comme actrice, lorsqu'elle sera reconnue, lorsqu'elle sera quelqu'un.

Alors Lili-Love, après s'être trouvé un agent à Toronto, un *manager* à Los Angeles, et avoir fait toutes les démarches, extrêmement chères et complexes pour se procurer un visa de travail pour les USA, s'évade dans un *trip* de fou sur la côte ouest américaine. Son accent français est presque rendu inaudible, grâce à son acharnement, mais il est toujours possible de percevoir qu'elle est une petite *foreigner*.

Difficile de reconnaître ce qu'elle est vraiment puisqu'elle se cache sous de nombreux masques et un accent indescriptible. Sa fougue et son désir de réussir donnent encore l'impression à quiconque la voit aller sur les réseaux sociaux qu'elle a le contrôle, qu'elle sait ce qu'elle fait, qu'elle sait où elle s'en va. Mais le sait-elle vraiment ?

Lili-Love est sur le point de goûter le bonheur. Le vrai. Le *fame*. Elle s'imagine le jour où elle prouvera au monde entier qu'elle est quelqu'un de bien, ayant un statut social important. S'il y a quelque chose qui ne veut rien dire, c'est bien ça. Mais elle ne le sait pas. Lili-Love, c'est comme un rêve sur deux pattes. Elle parle en rêves, elle se visualise et elle fonce. Elle a l'audace et l'insouciance de la jeunesse. Sans trop penser à la préparation ni aux conséquences d'un voyage et d'un projet comme ceux-là, elle s'expose au danger et à la témérité de Lili-Destroy. Parce qu'elle n'est jamais bien loin, celle-là. Mais elle l'oublie, régulièrement.

Au fond, Lili-Love veut être n'importe où sauf là où elle doit être pour trouver ce qu'elle cherche réellement. Mais comment savoir qu'elle fait fausse route ? Et surtout, comment savoir qu'on n'est pas dans le bon chemin quand on est sûr et certain que c'est là qu'on doit aller ?

Beaucoup de questions, encore peu de réponses. Mais sa conscience s'éveille, commençant sérieusement à lui casser les oreilles avec ces réflexions.

***

Lili-Destroy pense connaître le chemin. C'est une grande fille et elle a vu neiger. Elle n'a pas un grand sens de l'orientation, mais elle s'organise toujours. Tellement bien organisée qu'elle a même été prise dans une tempête en plein été. C'est son chaos du moment. C'est l'hiver-été, la boussole indique l'ouest et le vent est sec. Peu importe l'année, c'est pas tellement ça, l'important. Ce qu'il faut se rappeler, dans le cas de Lili-Destroy, c'est que plus ça change, plus c'est pareil.

À bord de sa Mazda Protegé récemment achetée à 900 dollars sur l'île de Vancouver, elle roule en direction de Tofino pour revoir un *boy*, un *island boy*. Et quand il y a un gars dans le décor, on se souvient que tout le reste a moins d'importance, t'sais. L'idée de se rendre à Los Angeles est un vague souvenir. Le nouveau rêve, c'est de vivre une grande histoire d'amour sur le bord du Pacifique, d'écrire des histoires d'humains troublés et, qui sait, peut-être de faire du cinéma à Vancouver, si ça adonne.

L'auberge de jeunesse est remplie de jeunes de vingt ans, tous un peu perdus comme elle, comme son *island boy*. Tout le monde parle le même langage, celui du *party* et de la fuite géographique. Après quatre jours d'abus d'alcool, de karaoké et de champignons magiques, Lili-Destroy décide que c'est probablement ça, la beauté du destin : faire des rencontres fortuites, se défoncer la gueule au point de tout oublier, même se protéger en ayant des rapports sexuels avec un ou des inconnus. Pourtant, c'est pas l'expérience qui manque, elle sait très bien que ses comportements se rapprochent du *borderline*. Mais *fuck it*, c'est ça qui est ça. La vie, c'est pas juste résoudre des problèmes, non ?

Et tout ce que Lili-Destroy trouve à dire pour se convaincre qu'elle est à la bonne place, c'est le même discours ennuyant :

— Tu es jeune, tu as le droit de triper. Tout le monde le fait. Quatre jours de *blackout* en ligne, voyons ! Tu as déjà fait pire que ça ! Ressaisis-toi, Lili-Dee, tu es capable d'en prendre ! T'es forte.

Elle fait cet effet-là, Lili-Destroy. Elle donne l'impression que tout est beau et que la destruction, c'est la voie à prendre. Que c'est même la norme, carrément.

Finalement, le *island boy* est pas trop dans la relation. Il la trouve pas mal intense, la petite. C'était pas son plan de se marier à l'auberge de jeunesse après quatre jours de brosse.

— Heille, on a baisé trois fois, et tout ce que tu trouves à faire, c'est brailler ta vie en chantant au karaoké. Complètement soûle, encore. Je comprends pas c'est quoi, ton problème.

— J'étais plus là. C'est pas grave. J'suis pas de même à jeun. Je voulais pas te faire peur. Je pense que je pourrais rester un peu plus longtemps avec toi. Je suis pas pressée de m'en aller à Los Angeles.

— Pourquoi ? T'as la chienne ? C'est pas ton plus grand rêve de travailler là ?

— Oui, mais j'aime ça ici. L'océan, le style de vie. Je suis pas pressée. Vraiment pas.

— Ben... C'est que j'ai pas de place pour toi ici.

— Je t'ai pas demandé ça. Mais, si tu veux, je pourrais payer ma part de loyer ? Et on pourrait être ensemble. Pis baiser. Tout le temps.

— Je suis correct.

— Qu'est-ce que tu veux dire par t'es correct ?

— Genre, je suis ok. J'ai pas besoin de baiser tout le temps.

Lili-Destroy est totalement *destroyed* par son attitude. Ses attentes ne sont pas seulement toujours trop grandes, elles sont démesurées. Elle qui pensait avoir ce qu'elle voulait, prendre ce qu'elle avait à prendre de cette aventure. Eh bien non ! Son plan à lui, c'est autre chose. Il faut s'adapter même quand ça fait vraiment chier, qu'elle se dit.

— Ben *fuck you*, d'abord.

Et voilà, l'homme de sa nuit numéro on ne sait plus combien parti en fumée. Lili-Destroy ressent le rejet au fond de son âme. Elle a mal, mais ça lui donne aussi l'impression d'être en vie. Le drame, à ce moment, c'est sa raison de vivre. Sans lui, la vie est fade, non ? Et voilà une raison de plus de se la péter !

La route n'est pas si belle que ça sur le chemin du retour. Tofino, c'est de la marde, pis tous les gars sont des *assholes*, vous vous rappelez ? Une nouvelle preuve de cette perspective qu'elle cultive depuis l'âge de dix-sept ans. Sa petite Mazda Protegé devient un havre de paix où rien ne peut l'atteindre.

Des arbres immenses défilent. Dans ses yeux, une forêt enchantée où elle pourrait vivre pour l'éternité, loin de tous les humains, de tous les tourments. Elle est bien pendant un instant. Jusqu'au moment où il se met à neiger et que la route sinueuse devient extrêmement dangereuse pour n'importe qui pris à rouler en pleine tempête avec une automobile qui n'est pas munie de pneus d'hiver. Elle n'avait pas pensé à ça, et même si on dirait que c'est l'été, c'est l'hiver et elle est au Canada, pas au sud des États-Unis. Y a plus de doute, c'est une fille bien organisée, cette Lili-Destroy.

À quelques reprises, elle manque de prendre le champ, de faire un face à face. Elle se ressaisit, c'est pas vrai que son heure est arrivée. En plus, elle n'est pas soûle. Si elle est capable de conduire en état d'ébriété sans conséquences depuis dix ans, elle est certainement en mesure de se rendre à Los Angeles en un morceau. Le cœur amoché, certes, mais elle va s'en tirer, elle n'en est pas à son premier rejet ni à sa première déception amoureuse.

Après deux heures d'enfer, de chaos et de peur de ne pas sortir vivante de ce merdier, Lili-Destroy arrive chez une vieille amie qui vit sur la côte ouest depuis un bout. Elle a besoin de repos avant de repartir dans une autre escapade.

Elle n'a aucune idée de ce que l'avenir lui réserve, mais, malgré la noirceur qui l'habite, elle est persuadée qu'il y a quelque chose de bon qui s'en vient. Elle ne sait juste pas quoi, ni quand. Alors elle décide de se remettre à ses carnets de fuite, de mettre des mots sur ses maux, de continuer de croire aux parcelles d'espoir et de lumière qui se présentent à elle de temps à autre. La vie, ça peut pas juste être de la marde.

***

La Californie semble si loin, sur la *map*. Deux mille kilomètres entre Vancouver et Los Angeles. Une valise de char remplie de tous ses effets personnels, Lili-Love est prête, à l'aube de la trentaine, à vivre son succès. C'est son tour. Incapable de décrire le sentiment qui l'habite, à mi-chemin entre l'excitation et la peur, l'envie de se faire bercer par maman Merveille lui traverse l'esprit. Mais non, elle ne peut quand même pas faire demi-tour, elle a bûché trop fort pour ce rêve, pour prouver qu'elle était capable.

Cassée comme un clou parce que ça coûte cher, un visa de travail pour les USA, Lili-Love décide d'embarquer un pouceux chic. T'sais, ceux qui payent pour covoiturer. C'est Jayden, un *dude* du UK. La route est toujours moins plate à deux, qu'elle se dit. Et il est mignon, c'est encore mieux.

Arrivée aux douanes pour traverser la frontière entre la Colombie-Britannique et l'État de Washington, Lili-Love est nerveuse. Elle sait très bien qu'elle se rend de l'autre bord pour ne pas revenir au Canada, elle s'en vient immigrer, mais elle n'a pas de travail ni d'adresse pour vivre au pays. Un beau plan de marde.

Jayden, le gars d'Angleterre avec son accent adorable, est un *illegal alien* et elle ne le savait pas. Lui non plus, apparemment. Ce n'est pas un bandit ni rien, mais juste un jeune irresponsable qui a mal *checké* ses affaires : son visa américain est expiré depuis quelques semaines. Bravo champion ! Les intentions de Lili-Love deviennent tout à coup moins légitimes devant le douanier à l'air un peu trop sévère.

— Dites-moi quels sont vos plans ? Comment vous êtes-vous rencontrés ?

— Monsieur l'agent, je l'ai rencontré hier soir dans un bar et il m'a dit qu'il avait besoin d'un *lift* jusqu'aux *States*. Moi, je voulais juste économiser de l'essence. Je le connais pas vraiment. Juré.

— Vous savez que vous avez une tomate dans votre voiture et que je pourrais vous donner une amende de 700 dollars US pour ça ? Je vois dans votre dossier que vous avez déjà transporté des kiwis entre New York et Montréal.

— Quoi ?

— Vous ne pouvez pas traverser de fruits, de légumes ou de viandes d'un pays à l'autre.

— Oh mon Dieu, je suis désolée. Je ne savais pas que j'avais encore des tomates dans l'auto. Monsieur, je n'ai pas les moyens de payer ça, supplie Lili-Love en jouant la comédie comme elle sait le faire.

Des larmes de désespoir roulent sur ses joues. Une vraie actrice professionnelle, cette Lili.

— Combien d'argent avez-vous dans votre compte en banque ?

— Je pense que j'ai un peu plus de 2000 dollars, mais je m'en vais en vacances à Portland pour deux semaines.

Le douanier la regarde longuement, suspicieux.

— Pouvez-vous me montrer votre relevé bancaire ?

— Bien sûr, qu'elle lui répond, docile.

— Où allez-vous habiter ?

— J'ai réservé un Airbnb pour quelques jours et, ensuite, je m'en vais séjourner chez un ami.

Et les heures passent, ne sachant toujours pas si elle est la bienvenue au pays de ses amis américains. Le gros douanier qui voulait lui donner une amende pour avoir transporté une tomate se rapproche d'elle.

— Premièrement, vous ne devriez jamais voyager avec des étrangers. Non seulement c'est dangereux, mais c'est idiot. Deuxièmement, je ne vous donnerai pas d'amende pour votre tomate, car vous me semblez être une bonne personne. Et... vous êtes libre d'entrer aux États-Unis.

Lili-Love le fixe, ne sachant trop si elle doit s'exclamer de joie et lui faire un câlin ou simplement reprendre son passeport et sacrer son camp avant qu'il ne change d'idée.

— Monsieur l'agent, merci beaucoup. Vous ne savez pas à quel point ce voyage est important pour moi.

— Oui, je le sais. Soyez prudente maintenant.

Et Lili-Love peut enfin recommencer à respirer. Elle envoie un signe de la main à Jayden du UK, qui se trouve derrière la vitre avec un autre douanier, beaucoup moins sympathique.

Le pauvre garçon ne pourra plus jamais entrer aux *States*. Il faut croire qu'on niaise pas avec les *illegal aliens*, là-bas.

En âme charitable que Lili-Love peut être, elle laisse tomber l'argent du gaz qu'il lui doit et repart dans son *roadtrip* aux États-Unis, soulagée de pouvoir poursuivre sa route.

Prochaine destination : Portland, Oregon.

***

C'est quoi, les chances qu'elle rencontre des gens de Montréal à 5 000 kilomètres de la maison ? En vrai, les possibilités sont grandes quand on passe sa vie sur les réseaux sociaux et qu'on cherche par tous les moyens du monde à ne pas être seule.

Une petite virée à Portland, c'est clairement un *must*, un *once in a lifetime*, et là, elle a même des copains désignés par Facebook pour se péter la face en se faisant croire qu'elle va arrêter ça tôt pour reprendre la route le lendemain, en parfait état.

Party ! Shooters ! Lili-Dee *is back on track*, et ce qui compte le plus, dans le moment présent, c'est de fêter son entrée presque ratée aux USA avec une bande de semi-inconnus qui se foutent bien de savoir comment elle va rentrer.

Quatre heures. Les amis de brosse sont sagement revenus à l'hôtel. Pas de chance pour Lili-Destroy, qui n'a trouvé personne pour la ramener dans un lit. La petite chambre qu'elle a louée est loin. À peine apte à marcher, elle n'a d'autre choix que de trouver le moyen de conduire, c'est pas la première fois qu'elle le fait. Capable de tout à tous les lendemains de veille de sa vie, Lili-Destroy se qualifie de professionnelle de la conduite avec facultés affaiblies, et cette fois ne fait pas exception à la règle.

Lili-Dee s'installe derrière le volant de sa Protegé, intoxiquée comme jamais. Le danger ?

Elle n'en a pas conscience. La mort ? Ça doit pas faire si mal, engourdie de même.

Elle zigzague dans une petite rue résidentielle, dans la ville endormie, mais lumineuse. La route est floue, tout est confus jusqu'à ce que la carrosserie en or de la voiture décide qu'elle n'avance plus, que c'est fini le niaisage d'adolescente attardée qui se condamne à la peine de mort chaque fois qu'elle boit son élixir.

BLACKOUT.

Dans les vapes d'alcool de la veille, Lili-Destroy se réveille avec un mal de cœur et réalise qu'elle a solidement endommagé sa maison sur roues. Elle n'a pas eu conscience d'un accident, mais la voiture refuse d'avancer un mètre de plus. Le vacarme est infernal dans sa tête et une envie de dégueuler la prend.

Une flaque de vomi plus tard, elle trouve le garage le plus près : c'est Joe's Garage qui gagne à la loterie de la vie, soit aider une fille en détresse à se rendre au prochain point sur la *map*.

Trente ans, l'air de vingt et l'âge mental d'une fillette de onze ans, Lili-Destroy a besoin d'une solution ou… d'un miracle pour pouvoir se rendre à *L.A.*, parce que là, elle est prise avec un bolide ayant deux pneus éclatés et des jantes en aluminium octogonales, pas la forme souhaitée, disons.

Comment expliquer qu'elle n'a aucune idée de ce qui lui est arrivé, à part de le dire carrément, sans filtre ?

— J'ai aucune idée de ce qui s'est passé.

— Quoi ?

Joe la dévisage, ne sachant pas trop quoi penser.

— Je me suis réveillée et mon auto était dans cet état. Là, je dois me rendre à *L.A.* au plus vite. Quelqu'un m'attend... C'est comme urgent.

— Je suis pas certain de pouvoir la réparer aujourd'hui. J'ai pas les jantes qu'il te faut.

— Monsieur, faut vraiment que je sois à Los Angeles vendredi. Peut-être qu'on peut en trouver sur Craigslist ?

— Peut-être. Tu devrais commencer par aller voir à la cour à *scrap*. C'est à quelques coins de rue d'ici.

— Ok. J'y vais.

Lili-Destroy, tête dans le cul, marche sur le bord du chemin d'une rue industrielle de Portland, en Oregon.

Fucking shit. Encore un lendemain de veille. Encore une connerie à régler. Encore de l'argent qu'elle n'a pas à dépenser. Encore. Encore. Encore. Chaos de marde. Toujours la même histoire. Mais elle va être correcte, qu'elle se dit. Elle est en vie, et même si ça goûte le vomi dans sa bouche, elle va s'en tirer. Comme d'habitude. C'est une guerrière, depuis toujours, ce n'est pas aujourd'hui que ça va changer.

Le *junkyard* est immense. Un tas de ferraille empilée, des carcasses de voitures accidentées, une tonne d'histoires se trouvent dans chacun de ces habitacles. Des accidents fatals qui ont pris la vie d'innocents et de gens qui ont conduit avec leurs facultés affaiblies, sans aucun doute.

Fuck. Ça fesse. Comment se fait-il qu'elle soit saine et sauve après une nuit comme celle qu'elle vient de passer ?

Lili-Destroy se promène dans les allées, entourée de corps morts ferreux, en quête de jantes en aluminium pour sa Mazda Protegé… Pas l'ombre de la pièce recherchée, rien qui puisse faire l'affaire. Elle en profite pour dégriser et, malgré les relents d'alcool, elle réalise la chance qu'elle a lorsque à sa sortie elle aperçoit, sur le capot d'une voiture accidentée presque identique à la sienne, un magnifique chapelet en argent.

Presque comme dans un rêve, ou comme une vision, Lili-Destroy reçoit un puissant rayon de soleil en plein visage en prenant l'objet divin entre ses petites mains tremblantes, en sevrage de la veille. Elle approche la croix de son cœur, regarde le soleil en prenant une grande respiration. Et une seule question lui passe par la tête : « Qu'est-ce que tu essaies de me dire, toi ? » Le soleil ne répond pas, mais il l'observe et la protège, sans l'ombre d'un doute. Deux jours plus tard, elle comprendra la signification de cette trouvaille singulière.

Elle repart, le « bijou sacré » au fond de sa poche de jeans trouée. Déçue de ne pas avoir déniché ce qu'elle cherchait, elle jette un dernier regard vers la caisse et aperçoit une magnifique paire de pneus 14 pouces qui ne demandent qu'à trouver un propriétaire pour la modique somme de 45 dollars US. À défaut de trouver des jantes, au moins, elle a des pneus. Eh oui, ils sont beaux dans la situation actuelle, bien au-delà du simple *rubber*.

C'est pas tous les jours qu'on a droit aux miracles, mais là, le cœur de Lili-Destroy s'ouvre. Littéralement, une fissure laisse entrer la lumière.

Un pneu autour de chaque bras, elle marche sur le même bord de route pour retourner au garage de Joe, qui tente de trouver une solution depuis qu'elle est partie.

C'est vraiment son jour de chance. Il a finalement repéré deux *rims* qui *fittent* parfaitement sur sa Protegé. C'est son meilleur ami qui avait ça à traîner dans son cabanon et il est en route. La voiture sera prête aujourd'hui, comme désiré, pour la modique somme TOTALE de 90 dollars US.

— Je suis pas certain que tes pneus sont bons. Tu devras faire attention. Roule pas plus vite que 60 milles à l'heure.

— Joe, êtes-vous sûr que je vais me rendre à Los Angeles en un morceau ?

Joe rit de bon cœur et la rassure aussitôt.

— Si tu fais attention, tout va bien aller.

— Ok, je ferai attention. Je pense pas que mon heure ait sonné.

— Je suis sûr que ton heure est pas arrivée. Je te laisse ma carte d'affaires. Appelle-moi quand tu arriveras à destination. Tu sais où tu t'en vas ?

— Qu'est-ce que tu veux dire ? J'ai mon GPS. Je me débrouillerai en arrivant sur place. J'ai aussi un ami acteur qui doit m'héberger une couple de jours.

— Ok. Bonne route !

Lili-Destroy lui sourit. Timidement, elle s'approche et lui fait le plus gros câlin du monde.

Et elle repart, sans regarder en arrière. Le cœur un peu moins gris qu'à son arrivée, au volant de sa Protegé en or réparée, elle n'a aucune espèce d'idée de ce que sa prochaine destination lui réserve, mais ça ne peut pas être pire que ce qu'elle vient de vivre.

***

La route de la côte ouest, du nord au sud, est magnifique. Le chemin où on peut voir le Pacifique, c'est comme le paradis.

Lili-Love, le cœur rempli de gratitude d'être en vie, choisit d'emprunter cette route, s'imaginant qu'elle possède un chalet sur le bord de l'eau pour y passer ses vieux jours, en compagnie de l'homme de sa vie et de leur petite famille. Il faut ben rêver, qu'elle se dit, sinon c'est quoi le but de l'existence?

La fatigue est au rendez-vous, mais Lili-Love ne cligne pas des yeux. Ça rentre dedans, un lendemain de veille, mais elle se fait la promesse de ne pas boire pour les trente prochains jours. Défi de sobriété pour se donner bonne conscience. Elle va aussi recommencer l'entraînement, la course à pied, elle déteste ça, mais c'est une autre affaire qui lui donne l'illusion d'être une jeune femme bien dans sa peau, voire normale.

L'ami acteur qui devait l'héberger pendant une semaine a changé les plans: la voilà sans abri dans une ville de treize millions d'habitants. À part son carrosse en or, elle n'a pas d'endroit où aller en arrivant à *L.A.*, ni pour dormir ni pour se laver. L'idée de se prendre une chambre d'hôtel ne lui effleure même pas l'esprit parce qu'elle est loin d'être en moyens, avec son petit 2000 dollars en banque pour les prochains mois sans travail à l'horizon. Mais Lili-Love fait confiance, un point c'est tout.

Elle se cante dans sa voiture à San Rafael, à plus de 600 kilomètres de Los Angeles, et s'endort après avoir fait le tour de l'application CouchSurfing pour trouver l'homme de sa vie ou l'homme de sa nuit, peu importe. Elle ne cherche pas nécessairement le *jackpot*, mais si elle peut tomber sur une place gratuite pour dormir, elle serait enchantée. Mais non, rien. Pas d'âme sœur en vue.

Au petit matin, le soleil tape dans le pare-brise, éclairant son visage bouffi du trop d'alcool ingéré l'avant-veille. Son mascara a coulé. Il ne lui reste plus qu'une distance Rimouski-Montréal à parcourir, un pet pour une fille qui a passé sa vie à faire du char.

Ses souliers ont beaucoup voyagé, ils sont très usés, même si elle n'en a pas la moindre idée : les guerrières n'arrêtent jamais de se battre. Si seulement elle pouvait réaliser à quel point elle a besoin de repos et que le combat devrait cesser, à un moment donné. La vie arrange bien les choses qu'on dit.

Carnet de fuite – Los Angeles

Je vais écrire mes projets et jouer dedans.
Je vais être une vraie sirène.
Je vais m'aimer inconditionnellement
et trouver l'équilibre.
Je vais méditer et me débarrasser
de toutes mes souffrances.

Je vais croire que l'amour existe.
Je vais écrire un livre avec tous mes carnets de voyage et ça va s'appeler «C'est quoi le bonheur?».
Je vais voyager et être libre pour le restant de mes jours.
Je vais plus jamais m'en faire avec ce que le monde pense de mon mode de vie.
Je vais être un esprit libre et sauvage à la fois.
Je vais me respecter, moi, mes désirs et mes rêves les plus fous.
Je ne serai plus effrayée de dire ce que je pense, ni par les relations.
Je vais dire aux gens comment je me sens par rapport à eux, tout le temps.
Et pour toujours, je vais aider les gens dans le besoin.
Je suis une citoyenne du monde.
Je vais embrasser et aimer les gens que je veux embrasser et aimer.
Et ça, c'est mon manifeste.

Lili-Destroy erre dans les rues de Santa Monica. Les palmiers et l'océan ne lui décrochent même pas un sourire. Son lendemain de veille atroce est rendu loin, elle pourrait bien boire un coup pour oublier qu'elle n'a pas de place où aller. La vérité, c'est qu'elle n'avait rien de bien urgent à destination, comme elle l'a fait croire à Joe, le garagiste sauveur. Juste l'envie d'arriver au pc.

Vêtue d'une petite robe noire, juste assez *sexy* pour attirer quelques regards, elle entre dans un bar de karaoké. *Me and Bobby McGee* de Janis Joplin lui brûle les lèvres et, qui sait, peut-être que son Bobby sera là. *We never know. Only God knows.*

Elle s'enfile des verres de vin *cheap* pour être capable de chanter sa vie, sortir le méchant de ses petits poumons encrassés. À jeun, pas question de faire entendre sa voix. Et au moment où vient son tour, elle croise le regard d'un ami de Montréal, aussi défoncé qu'elle. Elle savait qu'il était en ville et elle avait bien préparé ses cartes. Elle lui avait envoyé un message instantané sur Facebook, la meilleure invention pour les *gypsies*. Ils se font un gros câlin avant qu'elle monte sur la petite scène.

Cet ami de Montréal la dévore des yeux. Ils ont eu une histoire, juste une fois, sur la brosse. C'est écrit dans le ciel que ça se repassera à la fin de la soirée. Une place à coucher en échange de son cul, c'est pas si cher payé. En plus, une fois enivrée, ça va lui tenter de baiser, et c'est pas comme si c'était un étranger.

Carnet de fuite – Noirceur

Il fait noir. J'ai peur. Le trou dans mon cœur semble devenir de plus en plus grand avec chaque lendemain de brosse. Je me demande qui pourrait bien tenir la chandelle. Je devrais la tenir, mais j'en suis incapable, elle ne fait que brûler, par les deux bouts. Je suis fatiguée et je continue d'attendre mon sauveur. C'est de la bullshit, au fond, je sais qu'il n'existe pas. Personne ne peut sauver personne. Je ne veux pas mourir sans avoir aimé, sans avoir mis un bébé au monde. Je dois faire des gestes pour sauver mon cul et, ensuite, le reste va suivre. Cette manie qu'on a de penser que les autres peuvent nous sauver. Cette manie de penser que c'est possible que je ne sois pas seule au monde. Je ne suis pas seule au monde, je suis protégée. Je le sais. Profondément. Mais des fois, j'arrête d'y croire et je me mets à broyer du noir. Faut pas que ça dure, ce trou noir, parce que ça pourrait être dangereux. Je ne veux plus boire, je veux être heureuse.

Une envie de vomir la réveille. Elle glisse sur une vieille capote qui traîne sur le plancher de béton de l'appart de luxe. Elle se ramasse sur le dos, la tête fendue sur le bord de la table de chevet. *Fuck*, ça fait mal. L'ami endormi n'a pas la moindre idée de ce qui est en train de se passer.

Lili-Destroy réussit à se relever pour aller aux toilettes. La vue du sang la fige complètement, elle ne sait pas quoi faire. En semi-panique, elle trouve le moyen de vomir de la bile, du vin blanc et toute la *crap* qu'elle a mangée la veille. Elle s'assoit sur la cuve, fait pipi et en s'essuyant, de l'avant vers l'arrière, elle remarque que son anus saigne. Aucun souvenir de la nuit torride, mais clairement, ça s'est passé par un trou pas permis.

Lili-Destroy se regarde dans le miroir, complètement nue. Le reflet qu'elle voit est affreux, misérable. Le petit visage cerné, les yeux tristes et la mort dans l'âme lui font peur. Elle a mal, elle n'en peut plus. Elle se met à pleurer en apercevant son image, qu'elle a tenté de fuir toute sa vie.

— Ça me fait de la peine de te voir comme ça, lui souffle Lili-Love.

— Pourquoi je me suis encore rendue là ? Pourquoi je suis ici ?

— Je peux pas te dire… mais une chose est sûre, je peux te dire que tu cherches pas à la bonne place.

— J'ai aucune idée de ce que je cherche, lui avoue Lili-Destroy.

— Arrête de te mentir, tu mens comme tu respires, lance Lili-Love.

— Je mens pas, je vis ma vie, j'expérimente, pis je grandis chaque fois que je me plante.

— Tu trouves pas que tu t'es assez enfoncée ? Tu penses pas que tu as le droit d'être heureuse, une fois pour toutes ?

Lili-Love tente de la convaincre.

— Ça fait peur, le bonheur, ça veut dire qu'il faut que j'arrête de boire complètement ? demande Lili-Destroy.

— Ça fait longtemps que tu le sais, ça. Mais tu repousses tes limites. Tu as failli y passer dans l'accident d'auto, tu as déjà oublié ? lui rappelle Lili-Love doucement, sans trop la brusquer.

— J'ai failli y passer plein de fois. J'ai le cul béni.

— Les miracles existent, mais tu peux pas pousser ta *luck* encore longtemps.

Lili-Destroy se regarde un bon moment. Pour la première fois de sa vie, elle accueille la défaite.

C'est le plus loin qu'elle peut se rendre dans la déchéance, elle est au point de non-retour. Armée d'un simple abri roulant, au cœur de Los Angeles, elle décide de prier pour un miracle et se souvient de la prière qu'elle se répétait sans cesse quand elle était toute petite : « S'il vous plaît, donnez-moi la force de m'aimer, d'aimer et d'être aimée. »

Elle redit cette phrase comme un mantra puissant qui lui permet d'affronter sa journée. Pour commencer, une douche s'impose.

***

Lili-Love s'est réapproprié une partie de sa tête et de son corps. Elle marche depuis une bonne demi-heure et respire l'air salin de Venice Beach, à la recherche d'une clinique pour s'assurer qu'elle n'a pas besoin de points de suture. La plaie est assez profonde, mais il n'y a pas mort d'homme, elle est faite forte.

La clinique est presque vide et, après quelques minutes à attendre, elle est interpellée par une magnifique femme mulâtre d'une quarantaine d'années. Elles se sourient et, aussitôt, la conversation s'engage sans gêne.

— Ton visage m'est familier.

— On me dit ça souvent. J'ai l'impression d'avoir un sosie partout où je vais.

— Non, c'est pas ça. J'ai vraiment l'impression de t'avoir déjà vue quelque part.

— C'est possible. Je voyage beaucoup.

— J'ai trouvé ! T'es pas la fille de la série web avec des lesbiennes ?

— T'es pas sérieuse, tu connais ça ? Oui, c'est moi. Je suis actrice et je suis venue ici pour poursuivre mon rêve.

— *Wow!* C'est formidable ! J'adore cette série. Je me suis tellement identifiée aux personnages.

— Le pouvoir du Web est impressionnant. C'est fou !

— Tout à fait. Mais qu'est-ce qui t'amène à la clinique ?

— Je me suis blessée ce matin… Tu vois ? Je me suis assommée à cause d'un *hangover* et j'ai trébuché sur quelque chose. Genre quelque chose de… glissant… Un objet non identifié.

— Oh ! Tu as trop bu.

— Ouaip ! Comme toujours.

— J'avais l'habitude de trop boire. Ça fait dix ans que je suis sobre. Oh ! En passant, je m'appelle Martha.

— Moi, c'est Lili. Dix ans de sobriété ? C'est une blague ?

— Je me suis enfuie de la côte est pour poursuivre mon rêve ici. J'ai voulu jouer, mais l'industrie est vraiment difficile à percer, surtout ici. Fait que j'ai fini par travailler dans un supermarché. Maintenant je vais bien. J'accepte les choses que je ne peux pas changer, j'ai le courage de changer les choses que je peux changer et j'ai la sagesse d'en connaître la différence.

— Je suis impressionnée. J'ai essayé d'arrêter de boire tellement de fois, depuis tellement d'années... Mais j'ai toujours recommencé, pour toutes sortes de raisons, souvent parce que je n'étais pas bien dans ma vie telle qu'elle est.

— Je comprends. Tellement. Fais-moi confiance, je sais ce que tu veux dire.

— Je peux pas dire que je suis une alcoolique, mais c'est évident que je bois trop.

— C'est pas un peu la même chose ?

— Non. Je peux m'arrêter quand je veux. J'ai essayé d'aller en thérapie, mais ça n'a pas fonctionné.

— Tu peux juste pas rester sobre, c'est ça ? Vivre dans la sobriété est un défi à long terme. Être heureux sans avoir l'idée de prendre un verre, c'est ça qui est difficile. Et quand tu commences à boire, tu ne peux pas t'arrêter ? T'es comme obsédée par les nuits sans fin ?

— C'est comme si tu me connaissais depuis des années. C'est l'histoire de ma vie.

— Où habites-tu, ma belle ?

— Dans ma voiture, pour le moment. J'essaie de trouver une solution à mon chaos, ou un sens à ma vie ! Intense, hein ?

— Tu t'en viens chez moi d'abord. On ira dans un *meeting* ensemble, demain.

— Un *meeting*?

— Un *meeting* AA. Juste pour les femmes.

— Je pourrais faire ça. C'est probablement mieux que de rester dans la rue.

Et juste comme ça, le miracle s'est produit, comme il avait été demandé. Lili-Love n'est plus seule. Et soudain, elle a la preuve vivante qu'arrêter de boire, c'est possible.

***

Mon rêve de devenir une grande actrice m'a sauvé la vie

Dans ma petite tête, tout est beau, car j'arrive à fonctionner et je suis consciente que je ne bois pas exactement comme tout le monde. Je pense que je suis bien là-dedans. Je dérape et j'arrête de boire pour un bout. Et je redérape et je réarrête de boire. Dans le fond, je suis à peu près tout le temps en train d'arrêter de boire… et de recommencer… Et je fonctionne tellement malgré tout que c'est impossible de penser ou d'admettre que ma consommation d'alcool puisse réellement être un problème.

Prise de conscience

Février 2016, j'ai maintenant trente ans. Ça fait trois bons mois que je suis partie sur la côte ouest pour réaliser mes rêves les plus fous. (Aujourd'hui, j'aime dire que mon rêve de devenir une grande actrice m'a sauvé la vie.) Hé, je me suis rendue à Los Angeles ! Je n'arrive pas à croire que j'ai réussi à me rendre, que je touche mon rêve du doigt. J'ai trouvé un *manager* qui croit en moi et j'ai travaillé assez fort que j'ai pratiquement plus d'accent quand je parle anglais. Je me pète la face moins souvent, mais ça se produit, et quand ça dérape, ça dérape solide. Si ce n'est pas pire qu'avant. Ça me prend moins d'alcool, ma tolérance diminue, et les *blackouts* sont inévitables. C'est périodique et c'est probablement une des pires sortes d'alcoolisme, car ça peut prendre ben du temps avant de se rendre compte du problème.

Je réalise que mon mode de vie n'a plus de bon sens, que je suis littéralement un danger pour moi-même.

Moi, ça m'a pris quinze ans. Mais j'en avais besoin, de ces quinze années, car autrement je n'aurais pas pu faire tout ce chemin-là. Le 26 février 2016, je conduis soûle pour la dernière fois, je *blackoute* et mon char se brise pendant que j'essaie de retrouver mon chemin. Comme je suis bien protégée, pour ne pas dire miraculée, je ne meurs pas et je ne tue personne. La vie est *smat* avec moi, j'ai eu vraiment beaucoup de chance. Je me réveille, au matin, la tête dans le cul, je ne me rappelle pas que mon char est brisé.

C'est grave. Je ne sais pas ce qui se passe à l'intérieur de moi, mais je réalise que mon mode de vie n'a plus de bon sens, que je suis littéralement un danger pour moi-même, et surtout pour les autres. Clairement, ça n'ira pas en s'améliorant, cette vie-là. C'est donc pendant mon *trip* aux États-Unis dans ma Mazda Protegé à 900 dollars que j'ai eu le déclic. Le plus grand miracle, c'est toute cette aventure qui m'a menée à ça, à me réveiller et à devenir sobre au moment où j'étais prête, au moment où les bonnes personnes ont croisé ma route pour me faire prendre conscience que je ne peux plus défier la vie ainsi, qu'elle est belle et précieuse, cette vie. Ma vie.

***

La salle est lumineuse, remplie de femmes qui respirent le bien-être. Lili-Love se sent bien, un peu comme si elle avait trouvé un réel havre de paix. Elle est le centre de l'attention parce qu'elle est une *foreigner* et que tout le monde veut connaître son histoire.

Elles sont assises en cercle, puis chacune d'elles se nomme en disant qu'elle est alcoolique, sans honte, juste comme si elle énumérait ce qu'elle avait mangé pour déjeuner. Lili-Love avait déjà vécu les *meetings*, la fois de la thérapie ratée et remplacée par un voyage en Asie, mais elle avait détesté l'idée, le concept et, surtout, le regard des hommes, genre prédateur. Elle se sentait plus en sécurité dans des bars que dans ces rencontres. Mais ce n'était juste pas son heure.

Cette fois, elle entend parler de *blackouts*, d'alcool au volant et de destruction. Des copier-coller de son histoire. Une actrice raconte comment elle se comportait dans les premières de films, à quel point elle avait besoin de son verre de vin pour affronter le monde, à quel point elle pouvait déraper après avoir bu le premier. Elle parle de la honte et de la culpabilité qu'elle connaît depuis trop longtemps. Lili-Love est incapable d'arrêter de pleurer. Sa nouvelle amie, Martha, lui donne la boîte de mouchoirs en lui caressant le dos. Ça fait drôle de recevoir de l'amour, mais elle en a tellement besoin, elle est exténuée.

SAGESSE D'UNE FILLE PERDUE
La foi et moi

La foi sans borne qui habite mon cœur a toujours été immense. J'ai des tonnes de preuves à l'appui dans mes carnets de fuite. C'est fou, mais autant je crois à une force supérieure, à un Dieu plus grand que nature, à la force de l'Amour et à la puissance de l'Univers ou des astres qui s'alignent, autant j'ai eu honte de le nommer, de le dire haut et fort. Mais pourquoi avoir honte de ça ? C'est fou ! Je me jure de ne plus avoir honte, de ne plus avoir peur, mais je suis incapable de nommer le fait que je crois en Dieu et en cette énergie créatrice qu'est l'Amour. Je suis amour. Je suis remplie de lumière et je suis protégée. La preuve : je suis toujours en vie.

Cela dit, sans ma foi, je ne suis rien. En voulant garder le contrôle et le *power*, je peux faire beaucoup de ravages. Le récit que vous avez lu, c'est exactement ça : mon entêtement à vouloir être la reine de l'Univers, à vouloir être une *star*, à vouloir trouver mon prince sans relâche. Être la *star* de mon petit royaume, c'est ben en masse ! Oui, j'ai accompli de belles choses malgré la noirceur, et aujourd'hui je continue de le faire. Je tente de redonner du mieux que je le peux. Je pose des gestes, je fais des actions, bien sûr, je suis une personne qui veut que ça bouge, et ma personnalité n'a pas fait que du tort, dans ma vie. Bien au contraire. Je dois dire merci à ma foi sans borne, merci à la vie de m'avoir permis de croire en moi et de faire de cette existence une aventure dont je peux maintenant me souvenir et qui peut laisser une trace. C'est fou, tout ça, quand j'y pense. Qui a décidé que ça se passerait ainsi ? Qui donc ? Je ne suis pas grand-chose sans cette force qui m'habite, qui nous habite tous, au fond. La créativité, le désir de créer, je l'ai toujours eu en moi et je pense que c'est la clé pour rester en vie, loin de la destruction massive. En créant, j'ai l'impression de construire, d'avancer, et ça devient difficile de vouloir tout saboter quand on commence à aimer ce qu'on fait, qui on est et ce qu'on devient. L'aventure du rétablissement, d'une vie dans la sobriété, c'est de découvrir qui nous sommes vraiment.

Comme si Lili-Love n'avait pas dormi depuis cent ans, son petit corps est endolori par le stress de toutes ses années de *party*, de nuits blanches infernales avec madame Coca, de ruptures qui déchirent le cœur si brutalement que la seule façon de passer au travers depuis tout ce temps, c'est de se geler, de s'anesthésier. Ça fait une bonne semaine qu'elle est arrivée dans une maison de thérapie de Santa Monica, Clare Foundation. C'est par hasard qu'on lui a recommandé cet endroit où elle est logée et nourrie pendant un mois pour la modique somme de 500 dollars. *Deal* du siècle, pour une fille qui vit dans son char.

Le sommeil n'a jamais été aussi bon, mais il faut affronter la réalité et rencontrer la bande de femmes alcooliques, toxicomanes, *junkies*, *crackhead* avec qui elle cohabitera pour le prochain mois. Lili-Love se sent en sécurité, mais Lili-Destroy veut lui faire croire qu'elle est bien moins pire qu'elles, que sa souffrance est moins grande, qu'elle pourrait s'en sortir sans thérapie parce qu'elle n'a pas vraiment touché le fond du baril. Après chaque incident, elle s'en est tirée avec à peine une égratignure. Des mensonges, toujours des mensonges avec Lili-Dee, et Lili-Love commence enfin à comprendre son petit jeu.

Dans son cœur, Lili-Love sait que perdre sa dignité, son estime personnelle et sa précieuse énergie créatrice, c'est pire que de se faire retirer son permis de conduire. C'est l'heure de prendre soin d'elle. Ça fait longtemps qu'elle se doute que ça tourne pas rond, qu'elle se fait accroire qu'elle fonctionne dans la société. Ça fait des lunes qu'elle est malheureuse et qu'elle se demande comment elle va faire, elle, pour être heureuse. Ce séjour en thérapie est l'occasion idéale d'admettre que chaque fois qu'elle prend un verre, ça se termine en *blackout*, en cauchemar éveillé. Et qu'elle n'en peut plus de vivre ainsi.

Elle en a sérieusement marre. Comme on dit, tout arrive à point à qui sait attendre. Dans ce cas-ci, il était plus que temps.

La thérapie, c'est intense. Lili-Destroy réussit pendant un court moment à lui mettre dans la tête qu'elle est sûrement pas si mal que ça. Mais la petite voix de Lili-Love lui dit que si elle ne se donne pas une chance, elle va le regretter. Et les regrets, on se rappelle que c'est pire que la peur.

***

De l'alcoolisme à la sobriété

Au moment où j'écris ces lignes, j'ai trois mois d'abstinence. En peu de temps, j'en ai appris beaucoup sur l'alcoolisme, sur cette maladie qui fait des ravages, puisqu'elle est parfois très difficile à cerner. J'ai aussi appris que j'ai beau avoir peur qu'on juge ma vie et mes choix, les gens vont me juger *anyway*. Alors j'ai décidé de me laisser juger pour avoir le courage d'être honnête pour la première fois de ma vie et, peut-être, aider quelques personnes dans le lot. Je n'ai aucune idée si je vais même avoir le courage de publier ça, mais je me dis que c'est important d'en parler. Je sais à quel point j'ai souffert de ne pas savoir ce qui clochait chez moi, et là, j'ai comme un poids de moins sur mes petites épaules.

Être *drunk*, je sais où ça me mène, et j'ai la certitude que ça peut être encore plus « laitte ».

Aujourd'hui, avec du recul, je comprends plusieurs de mes comportements et je peux choisir de les changer et d'avoir une vie meilleure. À trente ans, je réapprends à vivre, à enlever mon masque, à être bien dans ma peau, à me redécouvrir et à être en accord avec mes choix. Sobrement. La sobriété, c'est un mode de vie terrifiant. C'est l'inconnu. Carrément. J'ai très peur de l'inconnu, mais je garantis que cet inconnu-là me tente pas mal plus que la vie que j'ai menée dans les quinze dernières années.

Être *drunk*, je sais où ça me mène, et j'ai la certitude que ça peut être encore plus « laitte » que l'histoire que j'ai racontée. (Imaginez, une vie sans honte et sans *hangovers*. Fou raide, mais ça se peut, tellement.) À trente ans, j'ai choisi la sobriété, et c'est le plus beau cadeau que je pouvais m'offrir. J'ai choisi de me pardonner, de m'aimer et d'arrêter de courir après quelque chose à l'extérieur de moi qui n'existe pas. Et cette sobriété, elle me donne la liberté et le bonheur d'être qui je suis, pour la première fois de ma vie.

Je réalise mon rêve. Ma vie va bien. C'est merveilleux.

J'ai un an de sobriété. Aujourd'hui. Et je continue.

Eliane, ta petite de *Ramdam*[*]

* * *

---

* « Récit d'une vie de *party* », *Urbania*, 27 février 2017.

Enfin! Pour une fois dans sa vie de douce rebelle, Lili-Love décide d'écouter des gens qui sont passés par où elle est passée, d'ouvrir son cœur et de laisser le déni derrière elle. Le déni. Une force tellement puissante, une zone extrêmement confortable dont elle doit s'éloigner pendant qu'il en est encore temps. Vous vous rappelez la thérapie qu'elle a abandonnée pour aller en voyage, pensant qu'une fuite géographique réglerait tous ses problèmes? Elle a appris bien des choses sur elle-même, mais elle n'a jamais su demeurer sobre en atterrissant en sol québécois. Après chaque retour au bercail, la destruction était toujours une option.

Ce qui se passe en thérapie reste en thérapie. C'est un moment tellement désagréable au début, mais au fil des jours il lui donne de la force et le courage d'avancer, parce qu'elle ne se sent plus seule. Elle est bien plus maganée, sur le plan émotif, qu'elle n'aurait pu l'imaginer, cette Lili. Comme un petit bébé qui commence à marcher ou une jeune pucelle qui apprend à conduire avec une transmission manuelle, elle veut bien conduire, comprendre le fonctionnement de son moteur de destruction massive.

La thérapeute avec qui elle chemine a l'air *nice*, elle s'appelle Jasmine. Et toutes les autres intervenantes lui ressemblent: des femmes afro-américaines attachantes qui ont toutes connu la dépendance, à différents niveaux. Et ce qui les unit, c'est la souffrance qu'elles ont vécue et le chemin qu'elles ont emprunté pour se rétablir, pour goûter le bonheur d'être sobres une fois pour toutes.

Ainsi, par une belle journée ensoleillée, en discussion avec Jasmine, Lili-Love comprend l'ampleur de ses fuites, du moins une partie du pourquoi. Ça ne règle pas tout, mais au moins mettre des mots sur certains comportements, ça apaise son âme. Un brin.

— Je sais que je me sauve de tout… Surtout de mes relations, avant même qu'elles commencent. Non seulement dans les relations intimes, mais aussi en amitié, avec ma famille et tout le reste. On dirait que je me rejette moi-même avant d'être blessée et ça me frustre parce que, évidemment, tout le monde me laisse partir. J'ai tellement besoin d'amour, c'est comme si le vide n'était jamais comblé… Et j'ai soif d'une vraie relation amoureuse avec quelqu'un, un jour.

Jasmine l'observe un long moment. Lili-Love peine à la regarder dans les yeux.

— Et si tous les gens qui croisent ta route faisaient la même chose que toi ?

— Je comprends pas. Tu veux dire quoi ?

— Dans la vie, les gens ont tendance à se rejeter eux-mêmes parce qu'ils ont peur d'être blessés, parce qu'ils ont peur des relations humaines et de l'amour. Cette crainte est très normale.

C'est comme si un poids énorme venait de quitter ses épaules. Lili-Love comprend que, pour conserver ses relations, une partie du travail lui revient, et ça s'appelle la communication, la connexion véritable.

— J'imagine que chacun perçoit les choses comme il peut ? Moi la première...

— Exactement, c'est toujours une question de perception.

— Ça veut peut-être dire que mon père n'a jamais su comment se connecter avec moi. Peut-être qu'il avait peur, tout comme moi.

— Peut-être.

— Je me sens *fucked up*. J'ai l'impression que boire m'aide à rester en vie. C'est bizarre, non ?

— Beaucoup de gens pensent au suicide parce qu'ils ne savent pas comment vivre avec leurs émotions. Leurs souffrances deviennent parfois insupportables. Et toi, quand tu bois, tu oublies ta douleur pendant quelques heures.

— C'est vraiment *rushant* de tout ressentir... Quand je suis sobre, je ressens tout. Ça m'oblige à faire face à ma vie.

— C'est vrai que ça fait peur.

— Je me suis juré de ne plus avoir peur. J'ai tellement prié pour ça. J'ai jamais été complètement paralysée par la peur, mais on dirait qu'elle est toujours là. Latente... et elle me fait stagner.

— Je pense qu'on a tous besoin de la peur, d'une manière ou d'une autre. Ça permet au courage d'exister, tu penses pas ?

— Pensez-vous que c'est possible d'être le super-héros de sa vie ?

— Tu l'es. Crois-moi. Et tu sais quoi ? Les super-héros n'ont pas besoin d'un verre, d'une ligne de poudre ou d'une *puff* de joint pour affronter leurs démons… ou accomplir leurs missions. Ils sont leur mission et, pour pouvoir la vivre, ils ont besoin de lucidité, d'équilibre. Être sain d'esprit, c'est pas un petit défi.

Lili-Love lui sourit. Elle peut ressentir toute la compassion du monde dans son regard. Sa présence lui fait du bien. Elle lui donne l'idée d'écrire une lettre, non seulement à toutes les personnes qui sont passées dans sa vie, mais aussi à sa plus grande amie, l'alcool.

Lettre d'adieu – Avril 2016, Fondation Clare, Santa Monica, Californie, États-Unis

Il y a tellement de choses que je veux te dire avant de te laisser aller… Je sais que tu le sais que tu as été ma plus belle fuite, la façon parfaite de pas sentir ce que j'ai peur de sentir, de pas faire face à la

réalité, à ma vie. Je l'sais que tu l'sais.
Tu as été là pour les hauts et les bas et, honnêtement, je t'aime, pis je vais toujours t'aimer. Je m'attendais pas pantoute à t'abandonner en entreprenant ce voyage-là, ma énième fuite géographique...
La vérité, c'est que, pendant longtemps et pour me rassurer dans mes dérapes, je pensais que j'étais seulement une grosse buveuse qui faisait des blackouts une fois de temps en temps. No big deal. Je pouvais arrêter, être dry pour un boutte, avant de recommencer à boire semi-normalement, avant le prochain blackout de marde. J'ai même arrêté de faire de la poudre il y a environ dix-huit mois sans aucune aide, et ça faisait dix ans que je sniffais. Comment je pourrais être une alcoolique ou une addict? J'étais peut-être juste ben intense. Je pouvais arrêter, oui, mais je pouvais jamais rester sobre, comme si j'avais passé ma vie sur la rechute. Dans le fin fond de mon cœur, on

dirait que je le savais que j'avais un problème, mais puisque je me contrôlais assez souvent, je continuais de me mentir, de faire comme si tout était beau... J'étais dans le déni, solide. Genre quinze ans de déni. J'ai réussi à arrêter de faire de la coke parce que j'étais déterminée à donner du sang, à donner la vie... Une vraie tête de cochon. J'ai fini par le faire la journée où ça fait six mois que j'étais clean. J'ai sûrement fêté ça en allant me péter la face au bar. Je sais pas trop, je m'en souviens plus parce que chaque fois que je te bois, je blackoute. Big time.
J'imagine que j'ai besoin d'une nouvelle raison pour te laisser aller, cher alcool, pis je peux pas en trouver une meilleure que celle de sauver ma propre vie.
Tu dois me trouver égoïste, mais je réalise que c'est toi qui l'as été durant toutes ces années. Oui, j'ai des souvenirs magiques avec toi, au début de notre relation, quand on était les plus heureux du monde de s'être

trouvés, qu'on pensait qu'on allait conquérir le monde ensemble. Mais tu n'as pas tenu tes promesses. Je sais que tu essayes encore et toujours de me faire voir le beau, mais tu m'as volé ma vraie nature, tu m'as fait devenir quelqu'un que j'aime pas. Être ici, aujourd'hui, en thérapie fermée pour la première fois de ma vie, et porter un regard sur toutes mes années de consommation et de destruction, je réalise qu'on va trop bien ensemble, tellement bien que ça me fait peur. Pourquoi? Parce que je me suis mise en danger, moi, et j'ai mis en danger des gens que j'aime, tellement de fois. J'ai blessé tellement d'amis et de membres de ma famille, je me suis isolée trop souvent parce que j'avais honte de mes comportements, les lendemains de brosse. Y a trop de monde avec qui je me rappelle même plus avoir couché ou ce qui s'est passé ces nuits-là. Trop de gens qui m'ont vue nue et vulnérable, pis ça m'écœure juste d'y penser. J'ai dealé avec les conséquences à plusieurs reprises, mais fuck, c'était-tu vraiment nécessaire que je m'inflige tout ça? Je te jure, le jour où je vais être intime avec quelqu'un, je veux sentir quelque chose, je veux vouloir le faire. Je veux pouvoir être dans une relation même si je sais que ça va faire mal, même si ce ne sera pas facile. Je ne veux pas vous avoir, vous, booze and weed, comme une option. Plus jamais. C'est fucking dur de vous dire ça. On a eu tellement de rires, mais beaucoup trop de pleurs. Des pleurs de honte, de vulnérabilité, de colère, mais jamais des pleurs de joie le lendemain d'un blackout. Je suis plus capable d'être avec toi. Je veux que tu me laisses tranquille, que tu arrêtes de me hanter, de me faire croire à tes illusions. Je ne peux plus mentir, ni à moi ni à personne. Je suis désolée, mais je veux être libre et ressentir la vie en moi, profondément. Je veux être la meilleure version de moi-même et ne plus jamais m'excuser d'être ce petit être humain fou et intense. Au fond de

moi, je sais que le meilleur est à venir et
je souris à cette nouvelle façon de vivre.
Cheers à la sobriété et à l'honnêteté.
Avec tout mon amour,

Eliane x

Alors voilà. Pendant tout ce temps, Lili-Destroy savait que l'alcool était son ennemi numéro un. Mais l'idée de lui dire adieu n'était pas envisageable, ça lui faisait mal en dedans juste d'y penser. Pareil comme si on lui enlevait sa raison de vivre. Le *party* ne sera plus jamais le même, qu'elle se répétait. Comment ferait-elle pour baiser à jeun ? Le cauchemar de sa vie : se montrer, se dévoiler, être vulnérable devant un autre être humain. Comment ferait-elle pour aller dans un événement mondain où l'alcool et la poudre coulent à flots ? Comment ferait-elle pour vivre dans la société, pour surmonter toutes ses peines, ses angoisses, ses peurs et ses joies ? Parce que toutes les raisons sont bonnes pour boire, non ? La société dit que c'est la chose à faire pour faire passer le bobo. C'est la solution au problème, et le problème, c'est qu'elle perd le contrôle à la minute où elle prend son premier verre. Mais comment savoir qu'elle a perdu la maîtrise de sa consommation ou qu'elle a un problème si elle ne sait pas qu'elle a un problème? C'est ben complexe. Mais dès le moment où la conscience cogne à sa porte, elle ne peut plus mentir ni retourner en arrière.

Lili-Destroy a fini par se coller le label d'alcoolique sur le front parce qu'elle n'avait plus le choix pour enfin apprendre à vivre sobre. Pour désormais découvrir sa vraie nature, pour se pardonner.

SAGESSE D'UNE FILLE PERDUE

Les émotions vs apprendre à vivre

Mine de rien, les émotions, c'est le nerf de la guerre pour le genre d'humain que je suis. C'est ce que j'ai cherché à fuir, à ne pas vivre, à peu près toute ma vie. Mis à part le fait que je n'avais pas les outils pour y faire face, j'ai vite appris que fumer un joint ou boire un verre, ça me soulageait instantanément. Avec le recul, je réalise que ç'a presque toujours été l'enfer chaque fois que je buvais. En combinant mon type de personnalité excessive compulsive à ma grande difficulté à gérer mes émotions, je me dois d'être très vigilante quant à différents comportements qui peuvent devenir destructeurs plus rapidement que d'autres.

Encore aujourd'hui, la colère, la peur, le stress et même la joie peuvent m'amener sur des terrains glissants. Avant, avec la consommation, j'avais la possibilité de me geler. Mes sentiments étaient coincés au niveau de ma gorge, et quand je buvais, tout se relâchait. J'avais l'impression qu'après une brosse j'avais fait sortir le méchant. J'étais dans le champ sur toute la ligne, j'avais plutôt encaissé de la grosse crasse.

Lorsque ma consommation était abusive, tout ce que je voyais, c'étaient des gens comme moi, des *drunks* qui défient la vie, qui veulent toujours plus de sensations fortes, qui ont l'air d'être bien sur le *party*, vus de l'extérieur, et même d'avoir le contrôle, mais qui souffrent d'être incapables de s'arrêter quand il le faut. Des gens qui sont un peu *fuckés* sur les bords, avec un fond en or qu'ils n'ont pas encore découvert, qu'ils n'ont pas appris à aimer.

Je crois que tous les alcooliques, toxicomanes ou dépendants du monde ont un potentiel inouï, mais ils le sabotent jusqu'à ce qu'ils soient à bout de tout, jusqu'à devoir se mettre à genoux parce qu'ils sont en train de mourir. Et avant de se rétablir – je m'inclus dans le lot, humblement –, je crois qu'on a peur de ce qu'on pourrait découvrir. Alors on laisse toute cette beauté se perdre dans des lendemains de veille qui détruisent les joies véritables de l'âme. Certaines personnes s'en tirent, mais d'autres peuvent y laisser leur vie. L'alcoolisme est une maladie mentale extrêmement insidieuse et, si elle n'est pas traitée à temps, les risques de non-retour demeurent la suite logique, tragique. Il y a plusieurs opinions sur le sujet, plusieurs approches, et loin de moi l'intention d'enfoncer une vision dans la gorge de quiconque. Seulement, si on peut être un peu plus conscient de nos comportements, de notre rapport à la consommation et du pourquoi on a besoin de s'engourdir, alors peut-être que d'autres vies pourront être sauvées et on commencera à comprendre l'importance du rétablissement à long terme de cette affliction.

Chacun son chemin, mais aujourd'hui, ce que je trouve sain, c'est de pouvoir verbaliser ce que je vis : pouvoir parler à un autre être humain, pouvoir me confier sans avoir peur de me faire juger. Longtemps, je me suis cachée, je me suis isolée, pensant que je ne valais pas plus que ça. L'isolement, c'est sans doute le pire ennemi de la personne qui souffre ; ça donne encore plus envie de boire et de se détruire. L'important, c'est de remplacer le laid qui habite mon âme par de la beauté, de la douceur, de la compassion. Et aussi exploiter ma créativité. Apprendre à vivre, travailler sur soi, c'est la plus belle entreprise qui soit.

Je réalise que l'alcool, c'est du poison pour tout le monde. C'est une substance addictive qui a un effet dépresseur sur n'importe quel humain. Et il faut arrêter de se mentir. Être alcoolique ou avoir un trouble de l'usage de l'alcool ou des drogues, comme moi, c'est ce qu'il y a de plus commun. Seulement, les gens ne l'admettent pas, ils préfèrent se mettre la tête dans le sable, tentant de se convaincre qu'ils fonctionnent, que le bonheur est sûrement quelque part, dans un facteur extérieur quelconque, comme une relation, le matériel, l'argent ou le travail.

Anyway, le but n'est pas de faire une critique de la société, mais plutôt d'aspirer à autre chose que ce qu'elle nous propose. C'est commun de se tourner vers la bouteille pour célébrer ou pour faire passer un moment plus difficile, c'est même encouragé, pour ne pas dire valorisé. Mais l'épreuve ne sera pas plus simple à traverser en étant intoxiqué. Au contraire. Ce n'est pas une vraie solution, c'est une illusion, et même si on veut se faire croire que la consommation est normale, contrôlée, le risque est grand qu'elle se transforme en béquille, en dépendance. Qui a dit qu'il fallait s'engourdir pour mieux vivre ? C'est un non-sens. Pour mieux vivre, il faut vivre. Et surtout accepter la vie telle qu'elle est.

Au centre

« Courage is a love affair with the unknown. »

Osho

Carnet de fuite – Vieillir – 2014

Vieillir, c'est embellir. C'est aussi s'assagir. C'est bien. C'est même très bien de vieillir. Ça permet de voir tout ce que tu as accompli. Ton rêve de jeunesse, tu le vis et tu souris à l'idée de devenir une femme avec son cœur d'enfant. Vieillir, c'est aussi être heureuse de voir apparaître de jolies pattes d'oie quand tu ris, et c'est être soulagée de ne pas avoir trop de rides de front, de colère, de ressentiment. Juste des pattes d'oie, c'est si beau. C'est parfait. Vieillir, c'est ne plus avoir peur et se faire confiance. Avancer sans regarder derrière et foncer vers l'inconnu. Aimer vieillir, c'est ne pas vieillir.

Enfin, le *deal* de *love*

Quand j'ai arrêté de consommer, j'étais dans la confusion. Pendant presque un an. *No joke*. J'avais aucune idée de comment je ferais pour me pardonner cette laideur que j'avais été, que j'avais causée. Je savais pas comment je ferais pour être bien sans me geler. Ne pas boire, pour un alcoolique, c'est une grande réussite, mais être heureux à jeun, c'est le grand défi. Bref, l'année 1 : faire le deuil de ma vie de *party* et accepter ma condition, mon alcoolisme. L'année 2 : apprendre à m'aimer et changer mes comportements destructeurs, un à un. Méchante *job*… loin d'être finie. Mais grâce à ma persévérance, j'ai finalement trouvé la lumière au bout de mon tunnel de marde. Tous ces mots pour exprimer que je célèbre deux ans sans consommer. Trois cent soixante-cinq jours plus tard, en guise de suite à mon « Récit d'une vie de party », c'est le « Récit d'un conte de fées » que j'ai envie de partager. Une histoire d'amour qui, je l'espère, saura toucher le cœur de tous ceux qui ont besoin d'espoir.

Ne pas boire pour un alcoolique, c'est une grande réussite, mais être heureux à jeun, c'est le grand défi.

Si on m'avait dit qu'un jour je réussirais à mettre mes peurs de côté pour laisser l'amour prendre toute la place dans mon cœur, je ne l'aurais pas cru. Si on m'avait dit que je ne compterais plus les jours, que je finirais par regarder avec compassion tout le chemin parcouru, en me disant que je ne suis pas les brosses que j'ai virées ni les *dudes* avec qui j'ai couché, pas plus que les torts que j'ai infligés à des gens que j'aime profondément, je ne l'aurais pas cru. Si on m'avait dit, au premier jour de ma nouvelle vie, que je comprendrais que je ne suis pas mon passé, je ne l'aurais pas cru. Mais j'ai fait le *deal* de *love*, j'ai laissé le pardon opérer la magie et j'ai travaillé aussi fort à me rétablir que je me suis entêtée à m'autodétruire. Bien sûr qu'il y a eu toutes sortes de tempêtes dans la dernière année, la vie continue, mais à jeun. J'ai de nouveaux outils, de nouveaux repères qui me gardent en sécurité, qui m'empêchent aujourd'hui de vouloir retourner à cette ancienne vie. Et toute cette expérience, ce passé, me permet de réaliser que je préfère de loin la liberté à la vie d'esclave. La liberté de choisir, de prendre la responsabilité de ma vie.

Comme dans l'temps où j'écoutais mes VHS de Disney pis que je rêvais en couleur, j'ai l'droit de mettre sur pause quand ça brasse, d'arrêter de reculer à tout bout de champ et d'avancer la cassette le moins souvent possible pour éviter l'anxiété. Comme je sais que je ne peux pas boire pour la gérer, *anyway*, je respecte mon choix : ne pas prendre mon premier verre. Aujourd'hui, j'ai soif d'amour, j'ai soif de bien-être. C'est une soif saine et j'ai la certitude que je suis la seule qui puisse l'étancher, en me donnant de l'amour tous les jours et en transmettant un message d'espoir à ceux qui, comme moi, ont de la misère à voir la lumière au bout du tunnel de marde. Et je continue parce que ce processus, qu'on appelle le rétablissement, me garde bien éveillée dans cette nouvelle vie. Et mes démons, eux, bien endormis. Gratitude*.

* * *

« Un miracle, c'est juste le changement de perception, de la peur à l'amour. »

Marianne Williamson

Lili-Love se regarde dans le miroir pendant un instant qui semble durer l'éternité. Elle se

* « Récit d'un conte de fées », *Urbania*, 27 février 2018.

remémore ce qu'on lui a dit de faire, au moins une fois par jour, alors qu'elle était en thérapie. Une idée pas bête du tout pour quelqu'un qui manque d'amour pour sa personne, se regarder dans l'blanc des yeux et se dire : « Je t'aime. »

Toute une mission quand le reflet que le miroir te renvoie, c'est la honte des années passées, le regret des relations brisées ou des rendez-vous manqués. Ça rentre dedans pis ça déchire, ça donne le motton dans la gorge. Et la plus redoutable des émotions, le dégoût de soi-même, remonte, et une fois que c'est là, il y a juste plus d'autre choix que d'affronter sa part d'ombre, cette Lili-Destroy qui s'en mêle trop souvent, qui la fait souffrir. Lili-Love doit se rappeler, pour toujours, que la perception de la réalité de Lili-Destroy, est erronée.

— Je te garantis que tu rebois rendue à Montréal. Chassez le naturel, il revient au galop.

— Je te garantis que tu peux te foutre cette idée de marde bien profond, Lili-Dee.

— J'aime ça, quand tu m'appelles par mon petit nom, ça me touche. Tu pourras jamais te séparer de moi.

Lili-Destroy la met au défi.

— Non, mais je peux t'apprivoiser et m'arranger pour que tu me fasses plus jamais mal, ni à moi ni à personne que j'aime.

— Tu peux essayer, mais je doute que tu sois capable.

— On gage combien ?

— Ta sobriété.

— Y a personne, même pas le plus beau gars du monde, qui va me faire perdre ce que je suis en train de construire.

— Ouais, je l'ai entendue souvent, celle-là. *Good luck with that.*

— J'ai pas besoin de chance. J'ai besoin de courage.

Et du courage, elle en a, cette Lili-Love. Tellement qu'elle décide de revenir à Montréal pour affronter la réalité qu'elle avait délaissée, en quête de gloire et de reconnaissance. Sans alcool et sans points de repère, elle doit admettre que Los Angeles est une ville immense et terrifiante. Lili-Love n'a soudain qu'un seul désir : se faire bercer dans les bras de maman Merveille en entendant la mélodie qu'elle lui chantait toujours.

— « Ma mère chantait toujours, la, la, la… Une vieille chanson d'amour, que je te chante à mon tour… Ma fille, tu grandiras, et puis tu t'en iras… »

Et peut-être qu'elle ne repartira… pas. L'avenir saura le dire.

Montréal, son amour, sa beauté, sa bête noire l'attend à bras ouverts, et même si Lili-Love a passé la majorité de son temps à la déserter, elle n'a jamais bronché à son retour, bien au contraire. Comme une relation amoureuse malsaine, chaque fois qu'elle revient au bercail, depuis les fuites des dernières années, c'est la même chose. Amour-haine. Je t'aime, je te déteste, je te quitte à nouveau parce que l'idée d'être vraiment bien à la maison est terrifiante. De la folie. Et bang! Elle se retrouvait les deux pieds au bar et, en un instant, celui où elle touchait à son premier verre, tout foutait le camp.

Elle connaît la cassette par cœur et, maintenant, elle est parfaitement consciente de ses failles. Le *night life* et le *party* ont tellement fait partie de son identité. Ça marche à deux. Certes, l'impression que sa ville est un poison est bien ancrée, mais elle comprend désormais qu'elle est l'unique responsable de toutes les soirées toxiques qu'elle a vécues, personne ne l'a forcée. Peu importe le type de relations, ça marche toujours à deux.

Cette fois, ce sera différent parce qu'elle peut se servir de son nouveau coffre à outils de la Californie. Parce qu'elle est honnête envers elle-même et qu'elle aspire à une vie meilleure, au bonheur, et elle a la conviction que ça peut se produire seulement si elle reste sobre. Le déni n'est plus un refuge: elle ne peut plus mentir. Lili-Love, pour la première fois de sa vie, n'a qu'une seule envie: respecter l'engagement qu'elle a pris envers elle-même. C'est aussi ce qu'on pourrait appeler un miracle.

Et cette décision, ça ne peut être que la meilleure parce que ça veut dire que le temps de la fuite et de la destruction est révolu. Ça veut dire qu'elle recommence à croire en l'amour, à commencer par l'amour-propre et le respect d'elle-même.

***

Il fait toujours beau, comme si c'était l'été en permanence. Ça fait du bien, le cœur de Lili-Love est en train de se réveiller, elle a moins peur d'elle-même et de retomber dans le vice. Elle commence à avoir envie d'aimer parce qu'elle se donne de l'amour quotidiennement depuis un bon moment. L'amour inconditionnel, elle l'apprend, lentement mais sûrement.

Et ça s'adonne que Montréal, la jolie, est remplie d'êtres humains magnifiques, hommes et femmes, tellement que ça devient mêlant pour une fille qui s'est promis d'être honnête envers elle-même : ne pas consommer d'alcool, c'est une chose, mais rester loin des hommes, c'en est une autre. Elle se connaît. Et elle a la certitude qu'ils peuvent tous devenir très majestueux à ses yeux et compromettre ses bonnes intentions. Ils ont tous ce petit je-ne-sais-quoi qui lui donne l'illusion qu'elle a enfin trouvé le bon, sans parler du fameux cheval blanc, qu'elle imagine au premier regard stationné dans sa cour. Ça aussi, c'est de la folie.

Et là, y a un méchant bel homme qui lui fait de l'œil. Il a un ÉNORME potentiel pour être le père de ses enfants, mais… Il y a une couple de mais, en fait. Comme le « mais » merveilleux, pour ne pas dire *no go*, pour les blessures d'abandon de Lili-Love : l'indisponibilité. Sentiment de déjà-vu ? Normal, il doit être l'Indispo n° 125 dont elle s'amourache. Mais lui, il est différent. Tête de cochon, elle décide d'essayer pour voir si les choses ne se passeraient pas autrement, maintenant qu'elle ne boit plus. Peut-être que Lili-Destroy va rester tranquille.

Et vient ce moment classique devant le miroir où elle se parle à elle-même, où elle tente de se convaincre qu'elle a fait cette rencontre pour une raison.

— Tu devrais partir. Il va s'en aller, *anyway*… lui dit Lili-Destroy sans penser mal faire.

— Pourquoi tu dis ça ? On s'aime.

— Tu aimes l'idée de qui il pourrait être. Il te l'a déjà dit plein de fois qu'il était pas prêt, qu'il avait pas fait son deuil de l'autre d'avant.

— Ils disent tous ça. Mais j'avoue que tu as raison. Pis ça me fait chier, avoue Lili-Love.

— J'ai toujours raison.

— Tellement pas. Les trois quarts du temps, ce que tu me fais dire ou penser, c'est de la marde.

— Reste polie, fille. Je t'ai jamais rien fait.

— Faux. Tu m'en as fait voir de toutes les couleurs, Lili-Dee.

— Peut-être, mais qu'est-ce que tu veux que je te dise, tu en avais peut-être besoin... Je pense quand même que tu devrais prendre la poudre d'escampette devant celui-là, il va te faire mal.

— Ça fait toujours mal, *anyway*, je veux que ce soit différent, je veux arrêter de me pousser pis d'avoir peur tout le temps.

— Écoute bien ça. Tu vas me trouver sage, mais il y a une nuance entre se pousser et prendre les bonnes décisions pour toi.

— Pis moi, je pense que les contes de fées existent, lance candidement Lili-Love.

— Tu te fous de ma gueule ?

— Non. Je veux continuer d'y croire, au prince charmant. Même si... je sais qu'y a pas de relations parfaites. Y a personne qui peut me sauver, je suis au courant.

— C'est pas lui, ton homme. Arrête d'essayer de te convaincre. La bonne personne est en train de se préparer pour toi.

Le défi pour Lili-Love n'est pas de partir. Non, c'est facile, ça, cette option est ancrée en elle depuis la nuit des temps. Cet homme, Indispo nº 125, lui en donne juste assez pour la garder pas trop loin, juste assez pour avoir ce qu'il veut et que ce soit, disons, plaisant. Ce n'est pas pour mal faire, bien au contraire ; un peu d'amour et d'attention et Lili-Love s'imagine un mariage en blanc et une ribambelle d'enfants avec un «potentiel». Mais c'est une autre illusion. Le vrai engagement et l'intimité sont improbables, peu importe son numéro, puisqu'il est indisponible.

Et une longue discussion s'ensuit avec Indispo n° 125 après presque un an de «Oui, je t'aime, mais je peux pas».

— Tu es vraiment une bonne personne, tu ferais une mère incroyable, pis je l'sais que je suis en train de passer à côté de quelque chose, mais je suis comme pas là, j'arrive pas à... lui dit-il doucement.

— Quoi? Laisser le passé derrière pis avancer?

— Ouin, on peut dire ça de même. On pourrait peut-être juste baiser pis voir où ça nous mène?

— Merci pour ta belle offre généreuse, je préfère me masturber pour un boutte.

Elle n'a pas dit ça, mais elle l'a pensé. *Fuck* tes miettes. Lili-Love est en pleine rébellion, merci à Lili-Destroy pour le *pep-talk* des derniers jours. C'est fini d'accepter qu'un homme puisse la baiser, prendre ce qu'il a à prendre et sacre son camp après. Plus lucide, elle réalise que ça ne sert à rien de rester dans une relation où elle est toujours insatisfaite, juste pour remplir le vide. Elle aspire à beaucoup mieux pour sa vie amoureuse. *No more* poudre d'escampette avant d'avoir mal, elle est maintenant en mesure de voir la réalité telle qu'elle est et de faire des choix pour son bien-être et son équilibre émotif.

Lili-Love s'est juré que personne ne lui ferait perdre ce qu'elle a de plus précieux : sa sobriété. Le miracle, c'est qu'elle soit encore sobre malgré cette déception qu'elle aurait dû percevoir comme un rejet. Il faut croire que ses lunettes ont changé : elle est en paix et ce petit je-ne-sais-quoi qu'on appelle l'amour-propre commence réellement à fleurir dans son jardin.

Elle réitère ses vœux : toujours être honnête. Ne plus se mentir. Se respecter. Faire ce qu'elle a à faire pour demeurer sobre et saine d'esprit. Ne plus fuir, peu importe le moyen, puisqu'elle comprend que ce comportement ne la sert pas, ça ne fait que la blesser. La sobriété, c'est la clé de l'évolution pour Lili-Love. Et pour y arriver, ça lui prend des amis sobres, des gens qui comprennent et respectent sa démarche, des gens doux et remplis de compassion, des gens comme elle qui lui apprennent à être capable de se regarder dans le miroir, à se pardonner, pour vrai.

À ce moment précis, le vent tourne pour Lili-Love. Le jour où elle prend, en toute sincérité, la responsabilité pour sa vie, le jour où elle décide que le beau bout de l'histoire est le plus important, qu'il est temps de rentrer à la maison, pour de bon. Le moment où la honte se dissipe pour faire place au pardon. Le moment où elle décide de se foutre du regard des gens. Comme un signe de la vie, comme si elle réalisait que tout le chemin parcouru était non seulement le sien, mais celui qu'elle avait besoin de parcourir pour réaliser ses plus grands rêves, sa plus grande vision de la réussite : aider et inspirer les gens qui veulent bien être inspirés.

SAGESSE D'UNE FILLE PERDUE

L'illusion du bonheur *vs* prendre ses responsabilités

Fait que la fuite, ça donne rien de bon. En fuyant, on ne peut rien construire. En fait, on détruit tout. Et moi, j'ai tout détruit pour mieux reconstruire.

Il y a de la beauté dans cette vie, mais avant, avec mon filtre d'alcoolique alcoolisée, je ne la voyais pas, je voyais ce que je n'avais pas et ce que je devais atteindre pour enfin être heureuse. La prochaine affaire qui allait faire en sorte que je sois bien. La prochaine relation, le prochain voyage, la prochaine brosse… Ça apaisait un moment, jusqu'à ce que je réalise qu'au fond j'étais pas bien avec moi. Je n'aimais pas ce que j'étais et je voulais à tout prix être vue, aimée, reconnue, adulée par les autres parce que, moi, j'en étais pas capable. Être mal dans sa peau, c'est le combat de tellement de gens. Je le sais parce que j'en côtoie tous les jours. Des alcooliques, des toxicomanes, des gens qui ont des troubles de santé mentale légers ou sévères, et des humains qui n'ont pas appris à composer avec la vie, qui n'ont pas eu les outils. C'est commun. C'est tellement commun que ça fait peur. C'est à se demander quel genre d'avenir la vie nous réserve, dans quel genre de société on vit.

Toute ma vie, j'ai rêvé d'une vie utile, de changer le monde même. J'étais une grande rêveuse qui menait une vie *drivée* par l'ego. Je suis bien consciente que ça en prend, un ego, sinon on se fait bouffer tout rond. Il s'agit de l'apprivoiser, de le remettre à sa place quand il doit se reposer un peu… parce que c'est épuisant de se laisser contrôler par lui, toujours vouloir plus, plus de *fame*, plus d'argent, plus de relations, plus d'amis, plus d'amour, plus de matériel, plus de *fun*, plus de tout. Chercher à trouver le bonheur dans des facteurs extérieurs, c'est un peu comme vouloir être heureux sans faire aucun effort. C'est une illusion, je le répète. J'ai appris que le bonheur, ça demande du travail, ça demande de l'énergie et de la volonté. Il faut aussi l'entretenir... et dans mon cas, je ne peux atteindre le bonheur si je bois ; je dois conserver ma sobriété, mon équilibre émotif. Pour moi, la sobriété passe par l'abstinence complète de toute substance ou tout alcool. Vous comprenez maintenant pourquoi ? J'ouvrirais la porte de l'enfer si je recommençais à boire. J'ai pris beaucoup de détours, je me suis perdue en chemin, j'ai été complètement déroutée par moments. Mais j'ai toujours eu la foi. J'ai toujours su que j'avais le potentiel de l'Amour infini. Et ce que vous avez lu, c'est une histoire d'amour, au fond, la plus belle histoire de ma vie, celle que j'ai toujours voulu connaître, vivre.

Tomber en amour avec soi-même, c'est possible. Réaliser que la destruction n'est plus une option, c'est le plus beau cadeau de ma vie. Et le partager, c'est la récompense dont j'ai rêvé. Pour moi, c'est ça être responsable, c'est mon bonheur.

Rêver, ça garde en vie. À force de rêver éveillée d'une vie heureuse, Lili-Love finit par croire que c'est possible pour elle aussi, qu'elle y a droit. Et même si l'ambition a été le moteur de nombreuses fuites déguisées qui n'ont pas mené à son grand rôle à Hollywood, ce périple lui a sauvé la vie. Elle est maintenant libre de vivre le plus grand rôle qu'une femme puisse désirer vivre, le rôle de la meilleure version possible de Lili, sa Lili douce, remplie de compassion pour l'être humain et pour elle-même. Il faut croire que tous ces kilomètres étaient nécessaires à son éveil, à son évolution. Elle parcourt « le chemin le moins fréquenté », pas seulement le livre de Scott Peck que sa meilleure amie Marie lui a offert, par hasard, un jour où le noir allait avoir raison d'elle, mais plutôt cette aventure incroyable qu'est la sobriété, le rétablissement et la découverte de son vrai moi.

Lili-Love n'a maintenant qu'une seule idée en tête : écrire, créer, faire sortir le méchant, s'exprimer, jouer peut-être même, et entreprendre... Le rêve d'entrepreneuriat social, de faire bouger les choses est grand et ne cesse de grandir, le désir d'avoir un impact positif sur le monde. Mais pas tout de suite, ça prend du temps, se relever, après autant d'années de chaos, ça prend de la patience pour trouver des stratégies pour surmonter ses peurs sans les anéantir dans les vapes de substances ou dans des comportements destructeurs. Lili-Love apprend qu'elles ne s'en vont jamais, les maudites peurs, mais la différence est qu'elle ne les laisse pas s'emparer de la beauté de son univers.

L'envie de repartir en quête d'aventures revient de temps à autre et sera toujours là. C'est une nomade qui se nourrit de croisades. Comme l'écriture, la poésie de sa vie est les voyages, et c'est aussi une façon pour elle de se ressourcer. Combiner les deux, ça représente la réussite absolue. En plus de continuer de croire que son âme sœur n'est pas trop loin, elle accepte de ne pas savoir ce que demain lui réserve, elle ne fait que se concentrer sur les fleurs de son jardin, sa créativité, sa maman Merveille qui vieillit, avec qui elle passe du bon temps, ses amis sobres, sa nouvelle vie, quoi.

***

Costa Rica, le dernier voyage

Liberté tout cœur

C'est Noël. Je suis en route vers les montagnes du Costa Rica. J'ai la chance d'avoir trois belles heures à tuer. Je dis souvent des heures à tuer, mais ce n'est pas une super expression. Disons que j'ai trois heures devant moi, à vivre dans un *shuttle con Mario y Daniel*, un père et son fils, à admirer le paradis. Eux, ils sont habitués à cette vue-là. Mais je remarque leurs petits yeux rieurs dans le rétroviseur, à voir mon émerveillement devant leurs paysages de rêve, des paysages qui donnent envie de faire du cinéma.

Mes attentes envers le Costa Rica étaient presque inexistantes. À part peut-être que ça serait un peu cher. C'est vrai, mais ça vaut la dépense parce que c'est un magnifique pays à découvrir. Je rêvais de ce voyage, plus jeune, et je suis très heureuse que ça n'ait pas adonné avant. Drôle à dire, mais je me retrouve dans ce beau pays le cœur assez léger pour en profiter, en quête d'aventures et, surtout, en quête de paix et de sérénité. Costa Rica 2017, c'est le voyage hommage à ma liberté. Ça commence avec la liberté d'expression. Ne pas me censurer, écrire ce qui me passe par la tête sans me demander ce que les gens vont penser. Ce n'était pas comme ça avant. Il y a eu une évolution. Dans un monde idéal, je crois que tous les humains devraient s'accorder cette liberté. Parce que ça ouvre le cœur, et quand le cœur est ouvert, il guérit.

Si je remonte un peu dans le temps, j'ai le souvenir très clair d'avoir *crissé* mon camp de la maison plusieurs fois, à Noël, pour ne pas avoir à affronter la réalité de ma vie, depuis les conflits de famille jusqu'au froid sibérien de Montréal, en passant par le simple désir de m'évader, de triper... que le temps s'arrête un instant. Je pensais que c'était ça, la vie. Quand ça ne faisait pas mon affaire, je me poussais, je m'enfuyais, je prenais un avion. Simple de même! Peut-être simple, mais y a pas grand-chose qui se règle en agissant de la sorte, ni grande évolution. En général, quand on pense voyage, on pense liberté. Mais je sais maintenant que ça ne veut rien dire, parce que, à l'époque de mes fuites géographiques, j'étais tout sauf libre.

Je crois profondément que j'ai (entendre nous) été placée sur la Terre pour vivre des expériences qui me font grandir, des expériences marquantes qui me rendent plus forte et me permettent de devenir plus consciente du monde dans lequel je vis, autant de sa beauté que de l'impermanence des choses. Remarquez bien, il m'arrive parfois de me dire que je préférerais ne pas être aussi lucide, parce que ressentir toute la souffrance du monde, c'est pas toujours rose. En plus, étant une personne hypersensible, je ne faisais pas que la ressentir, je l'absorbais, carrément. Ça pouvait devenir lourd. En revanche, l'autre côté de la médaille, quand on ressent cette souffrance, quand on la vit aussi, dans une certaine mesure, c'est de pouvoir poser des gestes qui mèneront éventuellement à la liberté. Je pense d'ailleurs que pour goûter la liberté il faut d'abord s'éveiller, prendre conscience des chaînes inconfortables, des blocages, des démons et des blessures qui empêchent d'avancer, qui empêchent d'aimer...

Cette année, les raisons de mon voyage sont différentes. J'ai choisi de partir parce que j'en avais besoin. J'avais besoin de me recentrer, de me retrouver moi avec moi et la force de la nature, de me ressourcer avec mon *Boy Sun*, comme je l'appelle depuis le début de notre histoire d'amour. Ça date, j'avais quatorze ans : je me le suis fait tatouer. Mis à part le fait que, dix-huit ans plus tard, on dirait que j'ai un trou de balle à la place d'un soleil, je ne regrette pas mon engagement envers lui. Bon, je m'égare. Je voulais simplement dire que j'avais besoin de faire un bilan, une pause, de me reconnecter. J'apprends, un jour à la fois, que c'est important de s'arrêter et d'aller écouter ce qui se passe au fond de son cœur.

Mais bon, comme la vie va vite, je l'oublie souvent, le fond de mon petit cœur. Je le néglige même. Je réalise, à plusieurs milliers de kilomètres de la maison, que c'est à moi de m'arrêter, de prendre des moments de douceur et de calme pour mieux vivre, parce que personne ne va le faire à ma place. La société valorise beaucoup le *busy all the time*, alors je le suis, moi aussi. Je suis dans l'action, peut-être trop parfois, et l'équilibre semble difficile à atteindre. Je sais pertinemment que c'est pas mal plus satisfaisant d'avoir une belle vie remplie qu'une vie *FULL BUSY* où je cours à gauche et à droite tout le temps, à faire quatorze choses en même temps en n'ayant aucun sentiment d'accomplissement, juste un sentiment de *rush* constant qui n'en finit plus de finir. C'est juste pas *cool,* ce *beat*-là. J'en prends conscience là, là. Je l'ai trop fait et je n'ai plus envie de vivre comme ça. Je veux plus avoir à prouver à personne que j'ai de la « valeur » en ayant une semaine de mongole, en étant *busy*. Non. Je veux simplement continuer d'avoir une vie qui a un sens, une vie de cheminement et d'évolution spirituelle remplie d'amour et de gratitude. Juste ma vie. Libre.

Fait que c'est ça. J'ai envie de dire que la liberté, c'est de ne pas se mettre de la pression pour être performant. C'est pouvoir être qui j'ai envie d'être, sans les masques, sans la *bullshit* que la société me propose d'acheter. Si je l'achète, on me dit que je vais m'aimer encore plus, que je vais être cent fois plus heureuse, que je vais être plus belle, plus mince, plus puissante, plus toute. Ben non. La liberté, c'est pas juste d'avoir du *cash* et de pouvoir m'acheter tous les biens matériels du monde ou aller où je veux quand je veux. Oui, c'est clair que cette liberté est extraordinaire, mais elle ne coexiste pas automatiquement avec la liberté d'une réelle paix de l'esprit.

Être en paix. Y a-tu quelque chose de plus beau que ça ? Prendre le temps de s'arrêter, d'écouter ce qui se passe en dedans et que ce soit doux. Pas de tremblements, pas de tempête, pas d'amertume ou de ressentiment. Pas trop de peurs non plus… Juste de l'amour pour les fins pis les fous. Être libre, je me rends compte que ça éloigne aussi le désir de consommer. En fait, si je consommais, je pourrais pas être en paix. L'un ne peut pas exister avec l'autre. La consommation, c'est de l'esclavage, l'antipode de la liberté, pour une personne comme moi.

Libertad.

Freedom.

Liberté. Imaginez tous les poèmes que l'on peut écrire avec le mot « liberté ». Dans toutes les langues du monde, à chacun sa conception, son interprétation. Prendre un moment pour y penser, ça donne envie de s'y conditionner, n'est-ce pas ? Le plus beau conditionnement du monde, ça doit bien être celui-là.

La liberté, c'est s'aimer inconditionnellement.

La liberté, c'est ne plus avoir peur de vivre ses émotions, c'est s'accepter tel qu'on est, sans jugement, sans critique.

La liberté, c'est savoir que tout ira bien, qu'on est à la bonne place au bon moment, qu'on est protégés et, surtout, qu'on n'a plus rien à craindre.

La liberté, c'est le pardon. Un cœur qui a le courage de pardonner est un cœur qui s'adoucit, qui guérit.

La liberté, c'est chanter, jouer, rire, danser, aimer, vibrer, jouir, vieillir, grandir, apprendre, créer, découvrir.

La liberté, c'est choisir les bons verbes.

Moi, je choisis d'écrire pour me libérer.

Parce que, écrire, c'est ne plus compter les heures ni les jours.

Écrire, c'est vivre le moment présent.

Et le moment présent, c'est le bonheur.

Love,

Eliane x*

SAGESSE D'UNE FILLE PERDUE

Le pardon vs la haine

Le pardon. Après avoir arrêté de consommer, c'est le plus beau cadeau que je me suis fait. Le pardon, c'est un peu, comme dirait une amie, poser un geste radical d'amour envers soi-même. Je me pardonne parce que je m'aime. Je me pardonne parce que je suis un être humain et que je n'ai pas besoin de me taper sur la tête dix mille fois. Y a déjà assez de gens qui nous tapent dessus, qui nous prêtent des intentions et qui nous utilisent comme bouc émissaire. Je me suis trop souvent laissé atteindre par l'opinion des gens, pensant toujours qu'on me considérait comme le mouton

---

* soberlab.ca/blogue/liberte-tout-coeur

noir de service. Je me sentais jugée en raison de mes choix – vouloir être actrice (ou le fait de l'être), vouloir changer le monde sans que personne comprenne ce que j'avais dans la tête. Être constamment en lutte contre le monde pour qu'il comprenne ma vision, c'est épuisant de vivre de même. Vraiment fatigant. Et là, je suis plus capable. J'apprends à me pardonner d'avoir besoin de l'approbation de je sais même pas qui. Est-ce que c'est vraiment nécessaire de recevoir l'approbation de qui que ce soit ? Je me pose la question. Je me pose beaucoup de questions dans la vie, comme vous avez pu le remarquer.

Pourquoi les choses sont d'une façon et pas d'une autre ? Pourquoi je suis moi, pourquoi ma propre âme m'a choisie, pourquoi j'ai suivi cette route et pas une autre ? Pourquoi tant de pourquoi ? Je crois fondamentalement qu'on peut créer le monde qu'on veut, à notre image, qu'on peut faire une différence. Je n'ai jamais voulu être un mouton, ni noir, ni blanc, ni rien. Pour moi, les moutons sont des faibles, peu importe la couleur. J'ai voulu défier l'autorité à de nombreuses reprises, mais en le faisant je ne me rendais pas compte que j'étais la seule que je blessais, là-dedans. Y a des limites à vouloir combattre. Combattre, c'est la haine. Et moi, je ne veux plus vivre comme ça, je ne veux pas vivre dans la haine d'aucune façon. J'essaye de me remplir de beau, de pardon, de simplicité et de vérité, au quotidien. C'est ma ligne directrice, c'est ma vision d'un monde meilleur.

Les plus beaux moments du monde arrivent souvent quand on s'y attend le moins. Quand on laisse aller le passé et qu'on se concentre sur le présent.

Carnet de fuite – Moment présent – Mai 2014

C'est tout ce qui compte,
c'est tout ce qui existe.
La vie, c'est un cadeau, il faut
savoir en profiter.
Avoir confiance en moi et en la vie,
c'est la plus belle chose qui soit.
La plus belle chose qui existe.
Tout revient à l'amour, l'amour de soi
pour pouvoir aimer les autres.

Carnet de fuite – Quelque part en Asie en 2013-2014

Je veux vivre une histoire d'amour avec quelqu'un qui me voit. Un bel être humain. La vie, si tu peux m'envoyer un message et me guider vers ce qui est le mieux pour moi. Qu'est-ce que je devrais faire? Est-ce qu'il va vraiment venir à moi, mon homme? Est-ce que mes désirs les plus profonds peuvent être transformés en amour? Stp, la vie, fais que ma réalité soit comme je m'attends à ce qu'elle soit. Rends-la belle et simple. Une belle évolution, une méditation d'amour pour nettoyer mon esprit et mon âme. Nous sommes les maîtres. Les maîtres de notre vie, et personne ne peut nous empêcher d'accomplir ce qui doit être fait sur cette Terre. Moi aussi, je peux tout faire, à force d'y croire. Je peux vraiment. J'ai de la puissance, j'ai même tous les pouvoirs si je poursuis sur la voie de l'amour. Le seul, l'unique. Le vrai amour va se manifester. J'ai juste à *continuer d'y croire. La vie est bien faite. Garde la foi. L'amour, c'est toute la vie.*

À se concentrer sur l'instant présent, Lili-Love n'attend plus rien de cette vie. Elle vit, tout simplement, et ses espoirs sont ancrés dans la foi inébranlable que le meilleur est à venir. Il s'agit juste de se rendre au centre de son propre univers, de toujours se placer en priorité, et non pas en dessous du tapis à vouloir faire plaisir à la planète entière. Et enfin, d'accepter qu'elle ne sait pas tout, qu'elle a droit à l'erreur et qu'elle doit lâcher prise pour pouvoir vivre heureuse.

Et Lili-Love, à force de prises de conscience qui font mal, peut finalement se regarder dans le miroir. Ce qu'elle voit, enfin, c'est la petite fille qu'elle a été, la petite fille courageuse qui a tellement voulu qu'on la remarque, qu'on l'aime. Elle porte sa robe jaune de princesse et, dans sa vision, maman Merveille se tient à ses côtés, le regard bienveillant. À sa gauche, un homme plus grand que nature la fixe avec ses yeux doux. Tranquillement, il approche une main de son ventre et l'enlace pendant un instant qui semble durer l'éternité. C'est le moment présent le plus doux du monde, c'est son éternité.

Le miroir lui rappelle qu'il y a bien plus que son reflet. Tout son être, ses cicatrices, ses rides, ses nouveaux grains de beauté qui apparaissent chaque jour comme la tristesse ou la lumière dans ses yeux lui prouvent qu'elle a fait une longue route, mais surtout qu'elle doit se souvenir, pour le meilleur et pour le pire, que même quand elle goûte un bonheur profond, son *alter ego* de mariée en fuite, Lili-Destroy, n'est jamais bien loin, à vouloir reprendre le contrôle de sa vie, à vouloir tout détruire.

Si elle oublie cela, si elle la nourrit, c'est le début de la fin de sa plus belle histoire d'amour. Et le conte de fées pourrait être à tout jamais oublié.

***

C'est l'heure du *deal* de *love*. Le *deal* d'amour-propre, en bon *franglish*.

Mais tu dois te dire : « *What the fuck is a deal* de *love ?* »

Comme toutes les petites filles de la Terre, j'ai toujours voulu être une princesse. Dans mon imaginaire, il existe un prince charmant, quelque part dans ce monde, qui viendra me sauver sur son cheval blanc, comme dans un dessin animé de Walt Disney. Je rêve de bonheur, je rêve d'une histoire d'amour douce comme dans les films. Je suis humaine, quoi ! Comme dans tout conte de fées qui se respecte, y a toujours un obstacle qui entrave la quête d'amour du héros, de l'héroïne. Moi, mon héroïne, c'est la Petite Sirène.

Depuis ma tendre enfance, je me sens exactement comme elle : handicapée. Tu vas m'dire que j'ai pas une queue en écailles à la place de jambes magnifiques. Vrai. Mais j'ai un trou dans l'cœur qui me garde vide en permanence et laisse toute la place au manque d'estime et d'amour-propre. Ça revient au même. Ce manque, je le cultive à merveille au fil des ans. Je l'apprivoise et il en vient à me faire croire au plus terrible des mensonges : personne ne voudra d'une fille comme moi et je devrai me contenter d'un crapaud. J'ai ben beau être une actrice qui a l'air bien dans sa peau, j'ai jamais connu la chanson ; je suis poche au jeu de la vie et de l'amour.

Parce que la souffrance, même invisible à l'œil nu, est bien ancrée.

Le rôle que j'ai pas choisi

À une certaine époque, soit toute ma vingtaine, ma vie se résumait à beaucoup d'abus d'alcool, de *one nights* douteux qui ne remplissent jamais le vide et me confirment que j'ai pas de valeur, que je suis pas aimable et, pire encore, que je suis jetable après usage. *Trash.* Je suis une princesse *fucking trash* qui a une perception erronée de la réalité. Et le plus triste de ce moment de ma vie, c'est que je me complais là-dedans trop longtemps parce que c'est tout ce que je connais.

L'autodestruction, c'est ma norme, je suis persuadée que toutes les filles de ma génération vivent leur vie ainsi. J'étais loin de mon conte de fées. C'était plutôt comme si j'avais décroché un rôle dans un film médiocre que j'avais pas choisi. Toutes mes actions étaient guidées par mes peurs, par ma souffrance, par mes émotions, que je cherchais à geler à tout prix avec l'alcool, le *weed* ou tout ce qui pouvait m'engourdir, parce que l'idée de vivre me terrifiait.

[...]

Mais quand est-ce qu'il arrive, le prince avec son cheval blanc ?

La vérité, c'est qu'aucune puissance humaine n'aurait pu sauver la princesse de ses tourments, de ses illusions. C'est simplement le jour où elle s'est aimée pour de vrai que son prince charmant, le plus magnifique des êtres que la Terre ait portés, a enfin pu se manifester. Plus d'une dizaine d'années se sont écoulées avant qu'ils puissent s'aimer, s'apprivoiser et s'aventurer au cœur de la rue des Amoureux, s'engager dans l'cœur de la *Main*, là où leurs regards s'étaient croisés pour la première fois, sur la piste de danse emboucanée de son bar préféré, là où la princesse était très abonnée ! Walt Disney peut aller s'rhabiller !

La vérité, c'est que j'ai peine à croire au miracle de ma propre vie, peine à croire que moi, Eliane Gagnon, je goûte enfin le bonheur, comme la Petite Sirène, ma princesse préférée.

Mon cœur est rempli d'amour et j'ai des jambes magnifiques pour continuer d'avancer, de grandir et d'évoluer. L'expression « ça vaut la peine » n'a jamais autant pris son sens qu'aujourd'hui. J'ai l'impression d'être arrivée à quelque part de paisible, d'avoir retrouvé le chemin du royaume qui m'était destiné. Je suis arrivée à la maison, et ça, c'est le plus beau *feeling* que j'ai jamais eu. Enfin, deux ans de rétablissement de ma bête noire, c'est la magie d'une vision qui se matérialise grâce à l'amour infini que j'ai trouvé à l'intérieur de moi, l'amour que j'ai enfin pour la femme que je suis, la fille perdue que j'ai été et l'être humain que je suis en train de devenir.

J'ai l'impression d'être arrivée à quelque part de paisible, d'avoir retrouvé le chemin du royaume qui m'était destiné.

Ce n'est que le début de mon histoire d'amour sans alcool et elle durera toute ma vie.

À toutes les princesses et tous les princes qui ont arrêté de croire à leur conte de fées.

Prière de ne pas désespérer.

Ça prend juste le *deal* de *love* pour décrocher le plus beau rôle de ta vie.

Le *trash* du drame de ton histoire peut se transformer en un chef-d'œuvre de beauté, il peut être transcendé par la force de ton amour-propre.

C'est une promesse de princesse.

Eliane Gagnon

Actrice et fondatrice de Soberlab.ca*

Carnet de fuite – Mars 2018

Le dernier carnet. Il ne reste qu'une page blanche, je dois la remplir. J'ai appris que j'avais une petite crevette dans mon ventre, une nouvelle fleur à chérir dans mon jardin, une merveille, un miracle semé par l'homme de ma vie, l'homme avec qui j'ai fait un deal de love. Juste s'aimer. S'aider à briller. Ne jamais abandonner. Je suis une femme heureuse, le plus beau rôle de ma vie m'attend. Finalement, le plus haut sommet de ma gloire, c'était simplement d'être heureuse.

Je parle comme j'écris, j'écris quand je veux et où je veux. Je n'ai pas à faire de grands plans, mais je garde mes rêves en tête. Ça, je peux le faire. Toi aussi.

---

* « Récit d'un conte de fées », *Urbania*, 27 février 2018.

L'arrivée

« The role of a writer is not to say what we can all say, but what we are unable to say. »

Anaïs Nin

Ces carnets, ce sont des bribes de vie parmi tant d'autres. Ce sont des tonnes de pages blanches que j'ai noircies, ne sachant pas trop où ça mènerait. Je me demande si une page peut réellement être blanche. C'est toujours un peu écrit d'avance, écrit dans le ciel, la vie… On sait juste pas comment ça va finir ou ce qui va se passer, demain. Et les jours passent, la route n'en finit plus de finir. On se demande c'est quoi la suite, est-ce qu'il y a une ligne d'arrivée, est-ce qu'il y a une récompense au bout du compte, pour avoir parcouru tous ces kilomètres sans confondre la ligne de départ et la ligne d'arrivée, ou sans avoir abandonné en cours de route.

J'ai écrit, j'ai annoté, j'ai rêvé, j'ai créé, j'ai mis des états d'âme en mots, j'ai documenté ma quête de *love* au fil des dernières années pour être certaine de pas oublier que tout ce temps-là je cherchais qu'une seule chose : l'amour, le vrai.

Et il était tout près de moi. Dans mon cœur. J'avais juste à écouter.

J'arrive à ce moment-là : il me reste plus qu'une page à aimer. Celle-ci. Celle-là, pour moi, pour vous. Après une éternelle quête de bonheur et d'amour… je me suis rendue où j'avais besoin de me rendre. Être maman, le plus grand rêve de ma vie. Mais ça m'empêche pas d'être toujours en chemin, toujours en route. C'est juste que, maintenant, je dois déposer mon bagage. Je ne peux plus fuir. Et je ne veux plus fuir. Je suis juste bien, heureuse de pouvoir redonner les richesses que j'ai reçues à travers le voyage de ma vie.

J'imagine qu'écrire, pour moi, c'est une façon déguisée de me permettre de m'évader, mais qui me garde bien ancrée dans la réalité. Une fois que les mots sont écrits, ils ne bougent plus, ils sont imprimés et publiés, sur papier ou sur Internet, et ils sont là à tout jamais. Ils marquent le temps, des passages de la vie, des moments de bonheur, de peine, de chaos… de fuite. Et maintenant que j'ai l'amour, j'ai la vie devant moi et je vais en profiter.

Et c'est désormais votre tour, vous allez en faire quoi, de cette vie, de ce cadeau ?

Je nous souhaite une mission jamais achevée, un fil d'arrivée qui donne envie de continuer, qui donne envie de créer sa vie au-delà de son plus grand rêve.

Je nous souhaite de rester assez longtemps pour voir le miracle.

Ces mots, ces carnets, j'espère qu'ils sauront adoucir votre cœur, votre âme, comme ils ont apaisé les miens, dans mon chaos.

De A à Z...

Les derniers mots d'Eliane Gagnon, alias Lili-Tout-Court.

Si le 27 février 2017, le premier jour du reste de ma vie en rétablissement de l'alcoolisme assumé et exposé au grand jour, j'avais eu une boule de cristal pour prédire l'avenir que ce gros *move* me réservait, j'aurais jamais pensé que les médias et le public m'accueilleraient avec autant de respect et d'amour, que mon histoire ferait écho dans le cœur d'autant de gens. Jamais. Ce serait des mensonges de dire que je n'ai pas eu peur de faire cette sortie, que je n'ai pas eu peur qu'on me juge, qu'on ne m'engage plus jamais comme actrice ou qu'on me montre du doigt. Mais ç'a été tout le contraire, et tout cet amour reçu m'a donné le sentiment d'être protégée de mes propres démons, d'être enfin en sécurité et plus du tout seule avec ma honte et ma souffrance. Avec un an de recul, j'ai la certitude qu'arrêter de consommer et décider d'en parler ouvertement, de montrer mon côté moins glorieux, ont été les deux meilleures décisions de ma vie. J'ai mis un visage sur une maladie qui suscite beaucoup de préjugés, d'incompréhension et de jugement facile. J'ai juste dit : « *Fuck* le stigma, *fuck* ce que le monde peut ben penser. » J'ai aussi dit que je mettais toute l'énergie du monde à m'en sortir, que le rétablissement était possible, pas juste pour moi, mais pour tout être vivant qui souffre de troubles de dépendance.

Je me fais beaucoup demander ce qui a changé depuis que je ne consomme plus. On dirait que je sais plus quoi dire tellement c'est le jour et la nuit, par rapport à la vie d'avant. Étant autant investie dans la cause, avec Soberlab, je n'ai pas peur de dire que ma vie a changé du tout au tout PARCE QUE j'ai éliminé l'alcool de ma vie. Mais la réalité, c'est que c'est pas arrêter de boire qui est difficile, mais plutôt apprendre à vivre et changer les comportements destructeurs qui nous empêchent de grandir, d'évoluer et d'atteindre une certaine sobriété, une joie de vivre sans devoir se geler en permanence. C'est ça, le défi ! Arrêter de boire, quant à moi, n'importe qui peut le faire, jusqu'à ce qu'il recommence. La sobriété, on se l'cachera pas, c'est pas la norme. Pour quelqu'un de « normal » qui n'a pas de problème de consommation, la sobriété n'est peut-être pas un objectif à atteindre, mais pour un alcoolique, ça devient inévitablement une obligation quand il atteint le fond du baril. Mais « normal », ça existe-tu vraiment ? J'ai jamais pensé que je l'étais, et c'est bien tant mieux. Et je pense sincèrement que si tout être humain prenait le temps de s'arrêter pour aller voir au fond de son cœur, il pourrait voir que le rétablissement, c'est pas juste pour les alcooliques et les toxicomanes.

Ok, qu'on se le tienne pour dit : je hais les étiquettes, les *criss* de *labels* de maladie en général, mais des fois on a juste pas le choix. Pour ma part, j'ai senti que je devais assumer mon choix pour m'en sortir. Dans notre société, on se fait souvent accroire beaucoup de choses. On vit un peu dans un gros mensonge, pis on s'y complaît parce que changer, c'est ben trop compliqué ; aussi bien prendre une petite pilule ou se geler dans *whatever what*. *Anyway*, je sais que si, moi, je me fais accroire que je suis comme tout le monde et que j'pourrais peut-être boire un verre, c'est le début de ma fin. Ou encore un éternel recommencement sans grande évolution.

Alors à tous ceux qui me demandent depuis trois ans : « Mais là, Eliane, tu pourrais pas juste prendre un verre ? » La réponse est non. Elle sera toujours non, alors l'option d'arrêter de poser la question est disponible à partir de maintenant ! On ne demande à personne pourquoi il boit, alors pourquoi demander à ceux qui choisissent de ne pas boire pourquoi ils ne le font pas ? C'est pas nécessaire.

À tout jamais, cette fameuse première lettre que j'ai publiée dans *Urbania* vivra sur les « Interwebs ». À tout jamais, elle me rappellera d'où je viens et où je ne veux plus jamais retourner. Et maintenant, ce livre. À tout jamais, on ne me reconnaîtra plus seulement comme la petite fille de *Ramdam*, mais bien comme la femme derrière l'initiative Soberlab, la femme qui s'engage à fond dans une entreprise à vocation sociale pour inspirer le plus de gens possible à tenter l'expérience de la sobriété, à s'informer sur le sujet et, surtout, à réaliser que c'est pas mal plus *cool* et accessible qu'on pense. Aujourd'hui, presque sept cent trente jours plus tard, je peux dire que sortir publiquement m'a aussi permis de sauver ma peau, de rester abstinente de toutes les substances en tentant d'adopter un mode de vie sobre, sain et créatif du mieux que je le peux, un jour à la fois. Je continue de respecter mon choix, mon engagement envers ma sobriété et mon rétablissement, parce que je ne guérirai jamais de l'alcoolisme, je ne guérirai pas de cette personnalité excessive, de mon intolérance physique à l'alcool et du trou noir dans mon cœur. Je peux affirmer que je n'ai plus le moindre désir de retourner à l'abus de substances pour la simple et bonne raison que c'était l'enfer sur terre. Je préfère de loin poursuivre ma mission de vie, soit transmettre un message d'espoir, d'amour et de liberté.

Il y a un adage qui dit « Il faut le voir pour le croire », mais moi j'aime beaucoup la version de Dr Wayne Dwyer qui dit : « Il faut le croire pour le voir. » J'ai cru qu'un jour peut-être moi aussi je pourrais m'aimer, moi aussi je pourrais être heureuse. Et je le suis, enfin.

En toute humilité, merci de m'avoir lue.

Eliane Gagnon

Zzz 😴

Remerciements

Je remercie du fond du cœur les personnages de cet ouvrage, les humains merveilleux qui ont croisé ma route au moment où j'avais besoin d'eux, ceux qui m'ont blessée et ceux qui m'ont aimée, nourrie de leurs trésors. Ce livre n'aurait pas pu voir le jour sans vous, sans votre sagesse, votre amour et votre soutien.

Un merci précieux et spécial à l'homme de ma vie, Frédéric, pour son amour qui me rend meilleure, qui me libère, tous les jours. Merci de croire en moi, de me donner la confiance ultime que mes écrits méritent d'être partagés et offerts au monde. Un merci infini à ma mère, Micheline, cette grande petite femme qui m'a tout donné sans compter et le plus beau cadeau qui soit, la vie. Merci à ma maman spirituelle, Nicole. Je fais des pas de géant grâce à toi, un jour à la fois.

Merci à vous, chers lecteurs. Les mots pour exprimer ma gratitude et l'amour qui m'habitent ne seront jamais assez puissants.